Toque as feridas

Dados Internacionais de Catalogação na Publicação (CIP)
(Câmara Brasileira do Livro, SP, Brasil)

Halík, Tomáš
Toque as feridas : sobre sofrimento, confiança e a arte da transformação / Tomáš Halík ; tradução de Markus A. Hediger – Petrópolis, RJ : Vozes, 2016.

Título original : Berühre die Wunden : über Leid, Vertrauen und die Kunst der Verwandlung.

5ª reimpressão, 2025.

ISBN 978-85-326-5246-1
1. Deus – Existência 2. Experiência religiosa 3. Sofrimento I. Título.

16-02531 CDD-248.2

Índices para catálogo sistemático:
1. Sofrimento : Aspectos religiosos: Cristianismo 248.2

Toque as feridas

Sobre sofrimento, confiança e a arte da transformação

Tomáš Halík

Tradução de Markus A. Hediger

Tradução do original em alemão initulado *Berühre die Wunden – Über Leid, Vertrauen und die Kunst der Verwandlung*

Direitos de publicação em língua portuguesa – Brasil:
2016, Editora Vozes Ltda.
Rua Frei Luís, 100
25689-900 Petrópolis, RJ
www.vozes.com.br
Brasil

Editoração: Flávia Peixoto
Diagramação: Sheilandre Desenv. Gráfico
Capa: Sandra Bretz
Ilustração de capa: © IgorSavaliev | Pixabay

ISBN 978-85-326-5246-1 (Brasil)
ISBN 978-3-451-30739-3 (Alemanha)

Este livro foi composto e impresso pela Editora Vozes Ltda.

Escrito em julho e agosto de 2008 na eremitagem de um mosteiro contemplativo na Renânia, completado em viagens a Jerusalém e Auschwitz em setembro do mesmo ano.

Dedicado à memória de Václav Dvořák (falecido em 30 de julho de 2008), que foi acorrentado e sofreu ferimentos para Cristo, que, trinta anos atrás, testemunhou a ordenação e concelebrou as primícias do autor deste livro e que faleceu na noite em que este livro começou a ser escrito.

A *incredulidade de Tomé* foi mais útil à nossa fé do que a fé dos discípulos crentes.
Papa Gregório Magno

Suas feridas nos curaram.
Is 53,5

Dois presos em duas celas vizinhas, que se comunicam por meio de batidas na parede. A parede é aquilo que os separa, mas é também aquilo que lhes permite comunicar-se. O mesmo vale para Deus e nós. Cada separação é uma conexão.
Simone Weil

Sumário

1
A porta dos feridos

Tomé, um dos Doze, chamado Dídimo, não estava com eles quando Jesus veio. Os outros discípulos lhe disseram: "Vimos o Senhor". Mas ele respondeu: "Se eu não vir nas mãos os sinais dos cravos, e não puser o dedo no lugar dos cravos e minha mão no seu lado, não acreditarei".
Oito dias depois, os discípulos estavam outra vez no mesmo lugar, e Tomé com eles. Jesus entrou com as portas fechadas, pôs-se no meio deles e disse: "A paz esteja convosco". Depois disse a Tomé: "Põe aqui o dedo e olha minhas mãos, estende a mão e põe no meu lado, e não sejas incrédulo, mas homem de fé". Tomé respondeu-lhe: "Meu Senhor e meu Deus". Jesus lhe disse: "Porque me viste, acreditaste. Felizes os que não viram e creram".
Jo 20,24-29

Encerrei a leitura deste Evangelho e voltei do ambão para sentar-me em meu lugar. Era cedo de manhã, e na Catedral de Madras quase vazia dominavam ainda a escuridão e o silêncio. A Índia se estendia diante de mim como um colorido tapete de flores tecido de muitos lugares sagrados – eu estava a caminho de Bodhgaya, o local da iluminação de Buda; de Sarnat, onde o iluminado fez seu primeiro discurso diante de seus alunos; de Varanasi às margens do Rio Ganges, destino mais sagrado das peregrinações dos hindus; de Matura, cidade natal de Krishna – aqui em Madras, porém, no centro do cristianismo indiano, onde, desde sempre, veneram o sepulcro do Apóstolo Tomé, padroeiro da Índia, senti-me em casa – graças, também, ao texto tão familiar.

Naquele momento, a passagem do Evangelho de São João, que eu acabara de ler, significou para mim o mesmo de sempre, ou seja, como costuma ser interpretada: com sua aparição, Jesus libertou o apóstolo cético de todas as dúvidas referentes à realidade de sua ressurreição; de repente, o "Tomé incrédulo" se transformou no "Tomé crente". Naquele momento, eu ainda não sabia que um evento me revelaria o texto de outra forma e que ele me tocaria de forma completamente diferente e muito mais profunda – e que ele, antes de o dia findar, me apresentaria o maior mistério da fé cristã em uma nova luz: a ressurreição e a divindade de Jesus. E mais: aos poucos, essa nova visão me levaria a um caminho específico da espiritualidade do qual eu nada sabia até então. Ela me mostrou "a porta para o Tomé incrédulo" – *a porta dos feridos*.

A fé cristã consiste em relacionar constantemente o Evangelho à nossa vida; ela é a coragem de "adentrar-se nesta história". Vale procurar redescobrir sempre de forma nova e mais profunda o sentido das narrativas bíblicas a partir das próprias experiências e absorver as poderosas imagens do Evangelho, para que, aos poucos, elas iluminem, interpretem e transformem o fluxo da nossa própria vida.

Muitos eventos, experiências, ideias e descobertas precisam de tempo para amadurecer em nós e produzir seu fruto. Doze anos haviam se passado desde minha peregrinação para a Índia. Neste momento, encontro-me no silêncio e na solidão da eremitagem nas florestas da Renânia; após uma tempestade noturna, um denso véu de neblina envolve as montanhas, e é apenas com grande esforço que os primeiros raios de sol conseguem rompê-lo; nuvens baixas encobrem o vale. Imerso nessa nuvem começo a escrever este livro, mais uma tentativa de "responder àqueles que perguntam pelo motivo de minha esperança"[1].

1. Cf. 1Pd 3,15.

"Deus está morto – nós o matamos, vocês e eu!" Quantas vezes já citei esse veredicto de *A gaia ciência* de Nietzsche, onde "o tolo" (o único que pode expressar verdades incômodas) proclama seu diagnóstico do mundo *àqueles que não acreditam em Deus*; ele comunica ao mundo que este perdeu o fundamento de suas certezas morais e metafísicas[2]. Em outro livro de Nietzsche, porém, encontramos uma passagem menos conhecida e menos citada, a descrição da *morte dos deuses antigos*: Quando o Deus dos judeus declarou ser o único Deus, todos os outros deuses debocharam de tamanha arrogância e morreram de rir[3].

"A religião está voltando" – ouvimos hoje de todos os confins da Terra. Há dissenso apenas em relação à avaliação: se isso deve ser considerado algo bom ou ruim – e talvez também em relação ao que ou quem estaria voltando. Estaria voltando o Deus Uno, "o Deus de Abraão, Isaac, Jacó e Jesus", no qual acreditam os judeus, cristãos e muçulmanos, ou o "deus dos filósofos", o ser sublime – a descoberta dos pensadores do Iluminismo, o adorno das proclamações políticas e dos preâmbulos das constituições? Estaria voltando um Deus capaz de responder silenciosamente aos corações humanos sedentos e de curar suas feridas ou um Deus da guerra e da vingança, que não cura, mas fere? Ou deveríamos antecipar a vinda dos velhos ídolos debochadores e sarcásticos?

Contam que, certa vez, satanás apareceu a São Martinho na figura de Jesus Cristo. O santo não se impressionou: "Onde estão tuas feridas?", perguntou ele.

Apesar de toda abertura espiritual, não advogo a "tolerância ilimitada", que me parece ser uma expressão de indiferença e de preguiça intelectual quando se foge ao trabalho de um cuidadoso "discernimento dos espíritos". Pois não seria ingênuo e perigoso ignorar que existem também "imagens de Deus" destrutivas e que também

---

2. Cf. NIETZSCHE, F. *A gaia ciência*. 2º livro, aforismo 125 [KSA, 3, p. 480ss.].

3. NIETZSCHE, F. *Assim falava Zaratustra*. 3ª parte, "Dos trânsfugas", 2 [KSA, 4, p. 230].

nas tradições mais antigas se escondem símbolos, afirmações e histórias que facilmente podem ser transformadas em espadas e não em arados? Como tudo na vida que é grande e existencial, as religiões também apresentam seus riscos e perigos. Por isso, exijo, juntamente com o Apóstolo Tomé e São Martinho, de todos que, depois da "morte de Deus" ou do colapso dos ídolos irônicos, se candidatam ao trono vazio: "Mostrem primeiro as suas feridas!" Pois não acredito mais em "religiões ilesas".

Sim, há anos venho me esforçando para estudar os mais diversos caminhos religiosos com respeito e franqueza. Atravessei parte do mundo, e aquilo que pude ver e conhecer não me permite agarrar-me à simples lógica do "ou isso, ou aquilo" (quando duas pessoas defendem duas opiniões diferentes, uma precisa estar errada). Estou ciente de que, quando alguém diz ou pensa algo diferente, isso pode simplesmente se dever ao fato de que ele está partindo de outra perspectiva, outro ponto de vista, outra tradição ou outra experiência; de que ele está se expressando em outra "língua" – ou seja: a divergência entre pontos de vista e opiniões não significa necessariamente a refutação nem da minha nem da sua pretensão à verdade; tampouco, essa divergência questiona a honestidade e sinceridade nem de um nem de outro. Ao mesmo tempo, estou ciente de que isso não precisa levar a um relativismo cômodo e resignado ("cada um tem sua própria verdade"), antes deveria gerar o esforço e a vontade de ampliar os nossos próprios horizontes (sempre limitados) por meio do diálogo e da troca de experiências, e também de conhecer-se a si mesmo por meio do diálogo com o outro.

Aprendi a respeitar muitos caminhos diferentes pelos quais as pessoas tentam aproximar-se do mistério último da vida. Acredito que aquele "mistério último" transcende infinitamente todos os nomes e todas as concepções que nós associamos a ele. Sim, creio no

Deus Uno, no Pai de *todas* as pessoas, que nenhuma pessoa individual nem qualquer "instituição religiosa" ou algum de seus representantes pode reivindicar como "monopólio"; estou confiante de que ele é a foz definitiva também dos rios mais sinuosos, de que os caminhos de todos que, guiados pela luz de suas tradições, pelo desejo da verdade, pela sua consciência e seu conhecimento, buscam e respeitam o mistério último da vida, orientam-se por ele – transcendendo todas as fronteiras culturais e todos os sistemas religiosos.

Não sou onisciente nem onividente – portanto, não cabe a mim tomar decisões definitivas e inerrantes sobre outros e sua fé pessoal, pois não vejo seus corações nem o destino final de sua peregrinação. Ninguém, porém, pode tirar de mim a *esperança* de que "o Deus dos outros" seja também o "meu Deus"; pois o Deus no qual eu creio é também o Deus daqueles que desconhecem o nome com o qual eu o invoco.

Ao mesmo tempo, porém, acrescento e confesso: *Para mim* não existe outro caminho, não existe outra porta senão aquela que é aberta por uma mão ferida e um coração traspassado. Não posso clamar "*meu* Senhor e *meu* Deus" sem ver a ferida que alcança o coração. Se *credere* (crer) provier de *cor dare* (dar o coração), então preciso confessar que meu coração e a minha fé *só* podem pertencer ao Deus *capaz de mostrar as suas feridas*.

Minha fé e meu amor são um, e ninguém pode tirar de mim o amor pelo Crucificado, que é a resposta ao seu amor por mim: *O que poderia me separar do amor de Cristo?*[4] Do amor legitimado pelas suas feridas?[5] Não sou capaz de dizer as palavras "meu Deus" se eu não enxergar as suas feridas! Mesmo diante da visão religiosa mais brilhante, é provável que eu – a despeito de toda receptividade – *suspeitaria* de que se trate de uma ilusão, de uma projeção de

---

4. Cf. Rm 8,35.
5. Cf. Jo 20,20-27.

meus desejos ou até mesmo do anticristo – se ela não apresentasse "as cicatrizes dos pregos". Meu Deus é o Deus ferido.

Se alguém achar que aquilo que acabo de professar seja contraditório, confesso que sinto o mesmo: Esta é a verdadeira tensão da minha fé. Cheio de *esperança* e *confiança* volto-me para Deus, que generosamente aceita a diversidade de seus filhos e cujo seio a acolhe de forma incompreensível para nós. Isso, porém, significa ao mesmo tempo que não posso saber com certeza onde estão os limites dessa generosidade e que não posso supor ingenuamente que ela acolha simplesmente "tudo". Preciso preservar o respeito diante do outro ou pelo menos diante da honestidade e sinceridade de seu ato de fé; mas se eu "prender meu coração" a algo, preciso *perguntar pelo fruto*[6]. Na religião, como também em outras áreas importantes da vida, existem valores essenciais e insubstituíveis como existem também outros que apenas se apresentam como tais – poderiam muito bem ser também ervas daninhas e venenosas. E será que realmente é assim como muitos pensavam e ainda pensam que existem campos (os nossos) que produzem apenas frutos bons e outros dos quais podem dizer de antemão que nada de bom crescerá neles? A Bíblia nos instrui a examinar cuidadosamente "de quem é o espírito" que nos é oferecido[7], mas também nos adverte dizendo que discernir "o joio do trigo" é extremamente difícil: No fim das contas, essa tarefa supera as capacidades e o juízo de seres mortais[8].

O que, então, posso fazer? Submeter a *minha* fé e aquilo que me oferecem como objeto de fé "ao teste de São Martinho". Não acredito em deuses e não acredito em religiões que dançam no palco deste mundo sem serem afetadas por suas feridas – sem arranhões, sem cicatrizes, sem queimaduras –, apresentando na feira das religiões apenas sua graciosidade conveniente e vistosa.

---

6. Cf. Mt 12,33.
7. Cf. 1Jo 4,1.
8. Cf. Mt 13,29.

Minha fé só consegue se livrar do fardo das dúvidas e experimentar a segurança e a tranquilidade interna de um lar se ela avançar no íngreme "caminho da cruz", se ela se voltar para Deus pela *porta estreita das feridas de Cristo,* se ela passar pela porta dos pobres, pela porta dos feridos, pela qual os ricos, os satisfeitos e autoconfiantes, os conhecedores e os "saudáveis", "os justos", "os sábios e os cuidadosos" não podem passar, assim como nenhum camelo consegue passar pelo buraco de uma agulha[9].

Será que o Apóstolo Tomé realmente foi livrado de suas dúvidas definitivamente ao ver o Ressuscitado? Ou será que Jesus lhe mostrou *suas feridas* como o único lugar em que uma pessoa que procura e duvida realmente pode *tocar Deus*? Esse foi o pensamento que me veio naquele dia em Madras.

No calor da tarde daquele dia, meu colega indiano, padre católico e professor de ciência da religião na Universidade de Madras, levou-me para o local onde, segundo a lenda, o Apóstolo Tomé foi torturado até a morte, e depois para um orfanato católico a poucos passos dali[10].

Em minhas viagens pela Ásia, África, América do Sul, eu tenho visto a miséria de perto. Conheço, da minha experiência como médico e confessor, a pobreza moral, o sofrimento oculto dos corações e os cantos sombrios dos destinos humanos. Visitei os "montes Gólgota do nosso tempo", os campos de concentração do nazismo e do comunismo, Hiroshima e Ground Zero em Manhattan, locais onde a lembrança da violência criminosa ali praticada continua viva – mesmo assim, jamais me esquecerei do orfanato em Madras.

---

9. Cf. Lc 18,25.

10. Sobre minha viagem à Índia, inclusive sobre aquele dia em Madras, eu falo em maior detalhe em outro livro: *Co je bez chvění,* není pevné. Praga, 2002, p. 25-28.

Em caminhas, que mais lembravam viveiros de galinhas, encontravam-se criancinhas abandonadas com barrigas inchadas de fome, pequenos esqueletos cobertos apenas por uma pele negra, muitas vezes infeccionada; pelos corredores, que pareciam infinitos, seguiam-me seus olhares febris e as crianças estendiam suas palmas rosadas em minha direção. O ar me tirava a respiração; no meio daquele fedor e cheiro, senti-me psicológica, física e moralmente mal; sufocava-me um sentimento de impotência e uma vergonha ardente que, às vezes, sentimos na presença de pessoas sofridas, simplesmente por termos uma pele saudável, uma barriga cheia, uma cama limpa e um teto sobre a cabeça. Eu queria fugir dali covardemente o mais rápido possível, queria fechar meus olhos e meu coração e esquecer; lembrei-me novamente das palavras de Ivan Karamazov, que queria "devolver" a Deus "o ingresso" para o mundo no qual as crianças sofrem.

Mas foi justamente naquele momento que surgiram das minhas profundezas as palavras: "Toque as feridas!" E novamente: *Põe aqui o dedo e olha minhas mãos, estende a mão e põe no meu lado.*

De repente, a história do Apóstolo Tomé revelou um novo sentido para mim, a mesma história que eu havia lido durante a missa matinal no túmulo do "padroeiros dos duvidosos". Jesus se identificava com todos os pequenos e doentes – portanto, *todas as feridas dolorosas, todo o sofrimento do mundo e da humanidade são "as feridas de Cristo"*. Só posso acreditar em Cristo – poder clamar "meu Senhor e meu Deus" – quando eu tocar *estas* suas feridas, das quais existem tantas no nosso mundo de hoje. Caso contrário, chamaria em vão "Senhor, Senhor!"[11]

Sim, é claro que nenhum de nós pode se considerar Messias capaz de *curar* todas as feridas do mundo – nem mesmo o próprio Jesus conseguiu fazer isso durante seu ministério na Terra – e Ele também não tentou. Precisamos até mesmo resistir à tentação, que

---

11. Cf. Mt 7,21.

tantas vezes nos leva para a *magia* dos esforços revolucionários, de "transformar pedras em pão"[12]. Mesmo se nos esforçarmos sinceramente e fizermos tudo que estiver ao nosso alcance, podemos remar apenas um pouco contra as ondas do oceano da miséria, que invadem uma parte cada vez maior dos nossos continentes. Mesmo assim não podemos fugir das feridas do mundo e voltar as costas para elas; precisamos, no mínimo, *vê-las, tocá-las* e permitir que elas nos *comovam*. Se eu permanecer indiferente, insensível, *ileso* diante delas – como, então, poderia eu confessar a fé e o *amor pelo Deus que eu não vejo*[13]. Pois nesse caso eu realmente *não o veria*!

Lá em Madras, entendi subitamente: Não tenho o direito de confessar Deus se eu não levar a sério a dor dos meus próximos. Uma fé que pretende fechar os olhos diante do sofrimento humano nada mais é do que uma ilusão ou ópio; diante desses tipos de religião, Freud e Marx estavam certos com sua crítica!

Mas existe outro aspecto muito importante: *quando olhamos a dor no mundo, não podemos nos limitar exclusivamente aos "problemas sociais"*, mesmo que esse tipo de sofrimento clame com todo o direito à consciência do mundo e de cada indivíduo, e sua voz não possa ser ignorada. De forma alguma, e em nenhum momento, devemos, porém, acreditar que "cumprimos" essa tarefa fazendo uma contribuição aos projetos caridosos na África, dando uma esmola ao mendigo ou elegendo um político com um programa social – mesmo que tudo isso também seja importante. Mas isso não basta: existem ainda muitas outras dores ocultas no interior dos seres humanos ao nosso redor. Tampouco devemos ignorar as feridas não curadas dentro de nós mesmos: quando admitimos sua existência e buscamos sua cura, também contribuímos para a "cura do mundo". Às vezes, isso é até uma precondição necessária para perceber com

---

12. Cf. Mt 4,3.
13. Cf. 1Jo 4,20.

a sensibilidade necessária a dor do outro e para lhe dar a ajuda de que necessita.

Naquela tarde em Madras, outra coisa me chamou atenção: talvez as dúvidas do Apóstolo Tomé tenham sido de um tipo totalmente diferente daquele que hoje nós – os netos da era cientificista e positivista – sofremos de vez em quando e que projetamos apressadamente sobre esta história. Talvez o apóstolo não tenha sido um materialista um pouco lento, incapaz de se abrir para um mistério que ele não podia "tocar".

Tomé foi um homem disposto a seguir seu Mestre até o amargo fim. Lembremo-nos de sua reação às palavras de Jesus quando chegou a hora de ir até Lázaro: "Vamos nós também para morrermos com ele!" Ele levou a cruz a sério – e talvez a notícia da Ressurreição tenha lhe parecido um "final feliz" fácil demais para a Paixão de Cristo. Talvez tenha sido este o motivo pelo qual ele se recusou a compartilhar da alegria dos outros apóstolos e, por isso, tenha exigido ver as *feridas de Jesus*. Ele queria ver se "a Ressurreição" *não esvaziava a cruz*[14] – apenas então ele poderia dizer o seu "Eu creio". Talvez o "Tomé incrédulo" tenha compreendido o sentido da Páscoa de forma mais profunda do que os outros.

"A *incredulidade de Tomé* foi mais útil à nossa fé do que a fé dos discípulos crentes", escreveu o Papa Gregório Magno em sua homilia sobre este texto do Evangelho[15].

---

14. Cf. 1Cor 1,17.

15. "*Plus enim nobis Thomae infidelitas ad fidem quam fides credentium discipulorum profuit*". Hom. 26,7-9. *Patrologia Latina*, 76, 1.201-1.202.

Jesus se aproxima de Tomé e lhe mostra suas feridas: "Veja, o sofrimento – não importa qual – não foi simplesmente apagado e esquecido!" As feridas permanecem. Mas aquele que "suportou as doenças de todos nós" atravessou em obediência também a porta do inferno e da morte, e Ele continua (incompreensivelmente) aqui entre nós. Com isso, Ele nos mostrou: "O amor tudo suporta"[16]; "águas torrenciais não conseguirão apagar o amor, nem rios poderão afogá-lo", "porque é forte o amor como a morte"[17] – e até mais forte do que ela. À luz desse evento, o amor se apresenta como valor que não podemos relegar ao domínio do sentimentalismo; o amor é uma força – a única força capaz de sobreviver à morte e de abrir as portas com suas mãos traspassadas.

A ressurreição não é, portanto, um "final feliz", mas um convite e um incentivo: Não podemos nem devemos capitular diante do fogo do sofrimento, mesmo que não o consigamos apagar agora. Quando confrontados com o mal, não podemos ceder-lhe a última palavra. Não devemos ter medo de "acreditar no amor"[18], nem mesmo quando, segundo todos os critérios do mundo, ele estiver perdendo. Tenhamos a coragem de responder à "sabedoria deste mundo" com *a loucura da cruz*![19]

Talvez, Jesus – ao ressuscitar a fé de Tomé pelo *toque das feridas* – quis lhe dizer a mesma coisa que se revelou a mim no orfanato em Madras: lá, onde você *toca o sofrimento humano* – e talvez apenas lá! – você reconhece que *Eu estou vivo*, que "Eu Sou". Você me encontra em todos os lugares em que as pessoas sofrem. Não esquiva-se de mim em nenhum desses encontros. Não tenha medo! Não seja incrédulo. Creia!

---

16. Cf. 1Cor 13,7.

17. Ct 8,6-7.

18. Cf. 1Jo 4,16.

19. Cf. 1Cor 4,10.

Deus, o Senhor da Antiga Aliança, apareceu a Moisés na sarça ardente[20]; seu Filho unigênito, nosso Senhor e Deus, se manifesta no *fogo do sofrimento*, na cruz – e ouvimos sua voz apenas se tomarmos sobre nós a nossa cruz e estivermos dispostos a suportar também o fardo dos outros, ouvimos sua voz apenas se reconhecermos nas cicatrizes do mundo – nas cicatrizes de Cristo – um convite.

20. Ex 3.

2
Sem distância

Cada um dos apóstolos recebeu sua missão. Pedro pastoreou as ovelhas do rebanho de Cristo, Paulo partiu para os povos distantes. E o que fez Tomé?

Levemos ao fim o nosso pensamento. Ser "crente" não significa poder livrar-se para sempre das perguntas que ardem na alma. Às vezes, significa tomar sobre si a cruz das dúvidas e seguir a Cristo fielmente também com essa cruz. A força da fé não consiste na "convicção inabalável", mas na capacidade de suportar também as dúvidas e incertezas, o *fardo do mistério* – e nisso preservar a fidelidade e a esperança.

Sim, talvez seja exatamente esta a missão de Tomé: a fé, nascida do toque do lado de Cristo, não se torna para ele objeto de "posse". Para ele, a fé não deixa de ser um *caminho*. Tomé precisa continuar a suportar o fardo de suas dúvidas e de seu ceticismo: ele obtém a certeza da fé apenas quando, ao tocar as feridas do mundo, consegue tocar Deus – é apenas ali que ele o encontra. É apenas ali que ele volta a vivenciar seu encontro com o Ressurreto. Essa é a sua vocação.

E é justamente assim que ele, para muitos que atravessam a vida na penumbra das dúvidas, abre um caminho para uma revelação bem específica de Deus em nosso mundo, para uma "experiência com Deus" inesperada. Aquele que *viu o Senhor* abre a porta *para aqueles que não viram*: esses podem encontrar Jesus sempre de novo – nas feridas do mundo.

Quando alguém não consegue encontrar Cristo no ambiente tradicional que as igrejas oferecem – em suas homilias, suas celebrações e seus catecismos –, a este se oferece sempre outra possibilidade: encontrá-lo onde as pessoas sofrem[21]. Pois não foi o próprio Jesus que disse: "Todas as vezes que fizestes isso a um desses meus irmãos menores, a mim o fizestes"?[22]

E mais: podemos encontrá-lo até mesmo na profundeza da nossa própria dor.

Supostamente, existem muitos aos quais o mero fato de existirem o mal e o sofrimento neste mundo roubou a fé em Deus. Confesso que nunca me vi exposto a essa tentação. Minha compreensão e minha experiência foram sempre o oposto: poucas outras coisas provocaram uma sede tão forte de encontrar um sentido quanto as absurdidades do mundo, e poucas outras coisas provocaram tamanha *sede de Deus* quanto as feridas abertas das dores que a vida traz.

E não é esta sede ardente a forma terrena da fé, enquanto a certeza reluzente e a "visão beatífica" são reservadas apenas ao perfeito descanso celestial? A fé aqui na Terra não oferece "certeza", antes exige uma postura aberta diante do incompreensível: nas perguntas, na busca e às vezes também nos gritos, sob lágrimas e protestos, mas também no pedido constante de confiança e perseverança, na coragem

---

21. Contam a história de que Pascal, quando as autoridades eclesiásticas lhe proibiram de participar da Eucaristia por certo tempo – porque duvidavam de sua ortodoxia –, ele começou a cuidar de uma pessoa pobre e doente em sua casa, para assim voltar a "receber o Corpo de Cristo". Pergunto-me se hoje algo semelhante não poderia servir para inspirar aqueles que – por algum motivo – se veem impedidos de vir ao altar; e talvez também a nós que nos preparamos para a Eucaristia.

22. Mt 25,40.

de não se satisfazer com as primeiras respostas e explicações simples demais – sejam as dos ateus, que dizem: "Não existe Deus!", sejam as dos pios, que apenas repetem frases decoradas ou "respostas certas", mas sem que estas influenciassem ou transformassem suas vidas. A sede de Deus e a pergunta por Deus provocam rios de associações, imaginações e perguntas associadas (p. ex., pelo significado da palavra "Deus" e do "ser" em relação a Deus), de forma que essas duas respostas rigorosas e dogmáticas (a negação ateísta de Deus e o confinamento teísta do mistério à prisão de definições inequívocas) sempre me pareceram obstruções igualmente infelizes diante da porta para a grande aventura espiritual.

Se o mundo fosse perfeito, ele mesmo seria Deus, e não existiria pergunta por Deus[23]. Um Deus narcisista, que se contemplasse no espelho ileso de seu mundo perfeito, perfeitamente harmonioso sem contradições, diferenças e enigmas – este Deus não seria *meu Deus*, não seria o Deus da Bíblia, o Deus da minha fé. A história narrada pela Bíblia não é um idílio doce, mas um drama perturbador; o mundo do qual falam as Escrituras tem (como também o nosso mundo atual) feridas sangrentas e dolorosas – e o Deus que este mundo confessa também as tem.

Naquela narrativa do Evangelho, que serviu como inspiração para estas meditações, Deus se manifesta como *Deus ferido* – não como um deus apático do estoicismo, nem como um deus que nada mais é do que a projeção dos nossos desejos ou o símbolo das ambições de poder de um indivíduo ou de uma nação. Este Deus é um Deus *sim-pático*, ou seja, um Deus *com-passivo*, um Deus que sente e sofre *com* o ser humano.

---

23. Schelling já diz algo semelhante: "Para que não existisse o mal, o próprio Deus não poderia existir" (SCHELLING, F.W.J. *Philosophische Untersuchungen über das Wesen der menschlichen Freiheit und die damit zusammenhängenden Gegenstände*. VII. Stuttgart, 1860, p. 403).

Façamos agora nossa primeira excursão para o mundo do pensamento teológico. A fala sobre um Deus sofredor se equilibra sempre sobre uma linha tênue. Sempre corre o risco de cair vítima de uma antiga heresia, o *patripassianismo* – essa doutrina condenada alega que o próprio Pai sofreu em Cristo na cruz. Essa alegação, porém, foi justamente condenada, pois é uma expressão mascarada de outra heresia, o monofisitismo, que não distingue entre Pai e Filho e entre a divindade e a humanidade em Cristo. A refutação do patripassianismo e o medo justificado de imagens excessivamente antropomorfas de Deus, porém, não devem nos levar ao outro extremo talvez ainda mais perigoso: à confusão do Deus bíblico com a concepção pagã de Deus como *primeiro movedor imóvel*, um "ser supremo" apático e estático[24].

Juntamente com os judeus e muçulmanos confessamos um Deus oculto em si mesmo, que se manifesta em sua Palavra, que *ocorre* e transforma a história. Nós cristãos acrescentamos a isso aquilo que nos é imprescindível: *A Palavra se fez carne* – reconhecemos no homem Jesus de Nazaré a plenitude da Palavra, por meio da qual cria o mundo desde toda a eternidade e se comunica conosco. Ele, assim afirmamos, é a "Palavra que no princípio estava com Deus e que era Deus"[25].

A afirmação "Jesus é Deus" nos separa dos judeus e dos muçulmanos, que, por causa dela, nos acusam de trair o monoteísmo, a fé pura no *único* Deus. Após anos de diálogos com teólogos judeus e muçulmanos, não me sai da cabeça uma suspeita: talvez o que se estabeleceu entre nós como obstáculo seja apenas uma *interpretação* específica da unidade de Jesus com o Pai – e não o mistério em si. E poderia até tratar-se do mesmo mistério – que o homem de Nazaré

---

24. Já no ano de 534, o Papa João II não hesitou em dar uma resposta inequívoca à pergunta "se Cristo, nosso Deus, que, segundo sua divindade, é incapaz de sofrer, realmente sofreu na carne": "Deus de fato sofreu na carne" (cf. DENZINGER & HÜNERMANN. *Kompendium der Glaubensbekenntnisse und kirchlichen Lehrentscheidungen*. 43. ed. Friburgo i. Br.: Herder, 2010, p. 401).

25. Jo 1,1.

é um com Deus assim como nós somos um com Deus –, mesmo se ignorássemos todo o aparato grego de conceitos metafísicos, como natureza, essência e pessoa, ou seja, se ignorássemos todas as categorias de pensamento que expressam algo que há muito já não nos é mais familiar? Existiria outra maneira de falar dessa *unidade*, uma maneira que deixasse claro que essa unidade do Pai e do Filho não diminui em nada a singularidade do Pai nem a humanidade de Jesus, que não diminui em nada a unidade de Jesus com nós humanos, tampouco quanto essa sua unidade conosco enfraquece sua comunhão singular com o Pai?

Cristo é verdadeiramente homem e verdadeiramente Deus – essa confissão é o fundamento da fé cristã. A doutrina do antigo Concílio de Calcedônia (451 d.C.) expressa isso por meio do uso duplo da expressão *homoousis*, "consubstancial": Jesus compartilha conosco a sua natureza humana e é, ao mesmo tempo *um* – "de uma só substância" – *com o Pai* em sua "natureza divina". Nisso preserva-se tanto a identidade pessoal (*prosopon* – *persona* – pessoa) de Jesus de Nazaré quanto também a diferença real entre as "pessoas" do Pai e do Filho – Jesus *não é* Deus Pai, Pai e Criador de tudo e de todos; a confissão da comunhão singular do Pai com o Filho não pode levar à concepção de duas deidades, ao enfraquecimento da fé na singularidade de Deus e da fé na unidade e na dignidade de todos os seres humanos (pois apenas assim *todos* nós – a despeito de todas as diferenças – somos filhos equivalentes de um Pai comum).

Mas devemos reconhecer que essa formulação de um dogma cristológico fundamental, ao qual a Igreja antiga chegou após séculos de disputas intelectuais, infelizmente marcadas também por lutas pessoais e políticas, representa uma pedra de tropeço não só para os judeus e muçulmanos, mas também para muitos cristãos. Por trás da profissão literal desse artigo de fé, escondem-se muitas vezes, nas imaginações dos fiéis, caricaturas que lembram as antigas heresias cristológicas: Jesus como Deus que se fantasia como ser humano;

Jesus como herói elevado à posição de Deus, "um Deus-homem" como um tipo de centauro entre Deus e o ser humano etc.

Não surpreende, então, que, apavorados diante dessas quimeras, tentam se refugiar numa acepção superficial e humanista de Jesus: passam a ver Jesus como "mero" ser humano ou como "um dos avatares" – i. e., uma de muitas encarnações de um deus ou de um princípio divino na Terra – ou como um de muitos mestres morais, como o descrevem sobretudo aqueles que diluem o forte vinho do cristianismo com a água morna do relativismo, que, equivocadamente é visto como virtude de uma tolerância abrangente. O conteúdo da confissão cristã não é, porém, uma moral nobre de um velho sábio, mas a mensagem chocante segundo a qual se manifesta naquele homem que nasceu num estábulo e sofreu a morte de um escravo rebelde o vínculo singular entre humanidade e divindade (a verdade sobre Deus e o homem e seu relacionamento recíproco) e no qual encontramos um remédio imprescindível para a ferida mais profunda da "natureza humana", ou seja, a "salvação" e o "perdão dos pecados".

Seria possível abrir ao ser humano a profundeza da fé autêntica da tradição cristã traduzindo afirmações-chave sobre a "divindade de Cristo e sua "ressurreição" da língua da metafísica para a língua da narrativa?

Nos evangelhos encontramos uma única afirmação explícita sobre a "divindade de Cristo" – justamente na narrativa sobre o encontro do Ressurreto com o "Tomé incrédulo", quando Tomé exclama: "Meu Senhor e *meu Deus*!"

No entanto, ao exclamar "Meu Senhor e meu Deus!", o Apóstolo Tomé não nos oferece uma definição metafísica da natureza de Cristo. Talvez essa manifestação de alegria no Evangelho de São João seja até semelhante ao modo com que a língua grega do drama clássico emprega a palavra "deus": "É deus quando reconhecemos os amados!" Quando amigos se encontram, deus é! deus ocorre![26]

Sim, na Bíblia, principalmente nela, *Deus ocorre. Deus é de tal maneira que Ele ocorre.* Tomé vivencia que, em seu encontro com o Crucificado e Ressurreto, Deus ocorre; Deus está aqui, Ele pode ser "tocado". No *Mediador singular entre Deus e os seres humanos*[27], Deus se manifesta de modo imediato, *sem distância*.

Nietzsche, "o mais pio dos ímpios" (como chamou seu Zaratustra), escondeu no meio de seu "Anticristo", o panfleto anticristão talvez mais selvagem jamais escrito, uma passagem notável, na qual – no meio dos tambores e das trombetas de seu rancor, ele entoa uma sonata de seu amor (ferido) por Deus. Jesus é, para ele, "o único cristão que jamais viveu" – e ele o elogia por ter demonstrado o relacionamento de Deus e dos homens "sem distância"[28].

São justamente as feridas de Jesus que demonstram sua solidariedade "sem distância" com os homens, solidariedade esta que o levou ao sacrifício na cruz. A vida da testemunha da verdade neste mundo termina assim – a cruz de Jesus é um espelho, no qual reconhecemos o mal e a violência em toda sua crueza. É uma afirmação brutal, mas muito realista sobre o mundo no qual Jesus vivia e no qual também nós vivemos.

---

26. "Ó deuses! É deus quando reconhecemos os amados!" é uma citação da tragédia *Helena*, de Eurípedes. Kerényi acrescenta: "Um evento divino é saudado com *Ecce Deus! Theós!* – no nominativo, mas não no vocativo. [...] o evento divino irrompe: *theós* acontece, temporalmente, neste mundo e está completamente presente nessa ocorrência. Se apagarmos as fronteiras linguísticas e, com isso, as fronteiras das diferentes zonas proibidas, a frase pode ser traduzida como: Deus ocorre". Cf. WALDENFELS, H. *Kontextuelle Fundamentaltheologie*. Paderborn, 2000, p. 105.

27. 1Tm 2,5.

28. "[...] no fundo, existe apenas Um cristão, e este morreu na cruz" (NIETZSCHE, F. *O anticristo*, n. 39 [KGA, VI, 3, p. 209]). Jesus "negou qualquer abismo entre Deus e o homem, ele *vivia* essa unidade de Deus e homem como *suas* 'boas-novas'" (NIETZSCHE, F. *O anticristo*, n. 41 [KGA, VI, 3, p. 213]). Vida eterna é "vida no amor, no amor sem desconto e exclusão, sem distância" (NIETZSCHE, F. *O anticristo*, n. 29 [KGA, VI, 3, p. 198]).

"Eles olharão para mim, quanto ao que traspassaram"[29]. Desde sempre, os cristãos têm interpretado esse versículo do Antigo Testamento como profecia sobre a cruz. "Por suas feridas somos curados", lemos nas Escrituras[30]. Mas como? Talvez, quando nos reconhecemos no espelho que a cruz e o Crucificado nos oferecem no meio do mundo da violência – e essa visão nos dá o impulso para a conversão. Talvez, quando nós, "pessoas de mãos limpas", despertamos da ilusão da nossa inocência e aceitamos a responsabilidade pelo mundo, cujos horrores são provocados não apenas por meio dos atos de pessoas más, mas ainda mais pela indiferença e a falta de ação das "pessoas boas".

O poder curador da história da Paixão consiste também no fato de encontrarmos nela não só a imagem do mundo e de nós mesmos, mas também ao modo chocante de agir de Deus, que, em seu Filho, desce para as profundezas do sofrimento humano, para a finitude da morte – *sem distância*.

Os dias de Páscoa – *pessach, pacha* – são feriados, que lembram *o êxodo*. Na festa de *pessach*, os judeus se lembram do êxodo da terra da escravidão rumo à terra prometida da liberdade. Esse é também o contexto essencial da narrativa da Páscoa de Jesus: trata-se da hora em que Ele parte do mundo e volta para o Pai[31]. Trata-se do tempo que é a aparente hora da vitória de seus inimigos ("dos poderes da escuridão"[32]) e, *ao mesmo tempo*, da misteriosa festa da "glorificação" de Jesus, como ressalta o Evangelho de São João, que reconhece na *exaltação na cruz* tanto a humilhação de Jesus pelos

29. Zc 12,10.
30. Cf. 1Pd 2,24.
31. Cf. Jo 16,28.
32. Lc 22,53.

homens como também – ao mesmo tempo – sua exaltação pelo Pai "à sua direita"[33].

A história da Paixão, na forma como é narrada pelo Evangelho de São João, é moldurada por duas afirmações: pela exclamação de Pilatos: "*Vê, o homem*" e pela exclamação de Tomé: "*Vê, o Deus*". (Meu Senhor e meu Deus!) Ambas as declarações dizem respeito a Jesus, ambas são feitas *em vista de suas feridas* – a primeira fala da humanidade; a segunda, da divindade. Poderíamos dizer que essas duas afirmações representam *duas interpretações diferentes das feridas de Jesus*. Suas feridas – talvez mais do que qualquer outra coisa, sim, talvez apenas elas – revelam aquele vínculo entre o humano e o divino representado por Jesus de Nazaré. Aquilo, porém, que acontece no intervalo é o "mistério da Páscoa": a morte e a ressurreição de Jesus.

Jesus, que vivia sua solidariedade com os seres humanos "sem distância", inclusive com os desprezados e os não convidados, transpôs com sua cruz o abismo do pecado – *a distância* entre Deus e o homem. Segundo a narrativa das primeiras páginas da Bíblia, esse abismo se abriu quando o homem ("Adão") foi confrontado com a possibilidade de escolher entre a confiança ou a desconfiança em Deus – e optou pela segunda. Ele havia adotado uma imagem errada de Deus, a concepção satanicamente desfigurada de Deus – de um Deus como concorrente não generoso e insincero do ser humano e de sua liberdade. (Muitos ateus não rejeitam, na verdade, o Deus da Bíblia e da fé cristã, mas justamente essa caricatura de Deus apresentada por satanás, um Deus que, temeroso ou maldoso, impede o desenvolvimento livre da grandeza humana. Essa rejeição é absolutamente correta, pois essa concepção de Deus merece ser rejeitada; o problema desses ateus consiste, porém, no fato de eles não possuírem outra concepção de Deus e não terem experiências com Deus. Assim, paradoxalmente, Ele se transforma em refém justo daquele equívoco

---

33. Cf. Jo 12,32; At 7,56; Lc 22,69.

que Ele nega.) A cruz de Cristo é o antípoda do ato de Adão no paraíso. Enquanto a desconfiança e infidelidade de Adão suspendem a intimidade paradisíaca original entre o homem e Deus, Jesus demonstra sua confiança e preserva sua fidelidade e a obediência também na escuridão daquele abandono, fruto e imagem daquele abismo da alienação que a Bíblia chama de "pecado".

Voltemos, porém, àquelas duas afirmações que emolduram a história da Paixão de Cristo no Evangelho de São João. A declaração de Pilatos: "Vê, o homem" acompanha um gesto que aponta para aquele homem que, após a flagelação drástica, se transformou em um pedaço sangrento de carne. Trata-se ainda da mesma pessoa que, naquela manhã, se apresentou ao tribunal do regente como candidato ao trono real? Trata-se ainda de um ser humano? Será que seu estado miserável não despertara compaixão nos olhos dos acusadores e da multidão de espectadores, de forma que sua sede de sangue e castigo já se satisfaça e o regente finalmente se livre dessa causa desagradável?

Ecce homo – a cena na qual a piedade popular imerge no início do exercício da via-sacra e também no mistério do doloroso Santo Rosário, e que se tornou objeto de muitas estátuas e imagens, levou a imaginação pia muito além do sentido superficial dessa declaração de Pilatos. É a apresentação do ser humano, da humanidade, da existência humana em sua forma limite – em sua fraqueza, seu abandono, sua dor e impotência. *Não tinha beleza nem formosura, era desprezado, um homem das dores de quem se desvia o rosto*[34]; um pobre, que pode dizer de si mesmo as palavras do salmo: "Mas eu sou um verme e não mais um homem, injuriado pelos homens e desprezado pelo povo. Todos os que me veem zombam de mim, torcem os lábios e meneiam a cabeça"[35]. Toda a fama, o poder, a dignidade e a grandeza do ser humano desapareceram, a existência humana

34. Cf. Is 53,2-3.
35. Sl 22,7-8.

se apresenta como grande ferida sangrenta. Mas o ser humano é também isso.

"Oh! vós todos que passais pelo caminho, olhai e vede se há dor igual à dor que me atormenta!"[36] Isso é evidentemente uma das razões pelas quais essa imagem – como também o motivo da *Pietá*, da mãe com o filho morto no colo: o polo oposto à Madonna com a criança nos braços – possuía um poder terapêutico tão grande: ela relativizava o sofrimento próprio. Jesus na cruz seja talvez já "elevado" demais; muitas vezes, a cruz é percebida como auge do caminho, como vitória ("Tudo está consumado!"), enquanto a cena diante de Pilatos no início da via-sacra marca apenas o início do drama da dor. Aquele que é flagelado e torturado diante do tribunal do poder e do fanatismo das multidões está realmente "no fundo". Um ser humano diante do abismo da morte, que já não tem mais qualquer domínio sobre si mesmo, totalmente manipulado pela maldade dos outros, completamente entregue aos inimigos, como um objeto amarrado, "um pacote sem destinatário", enviado do Sinédrio a Pilatos, a Herodes, aos soldados, aos carrascos – essa imagem lança luz na verdadeira profundeza da existência humana, sem qualquer adorno e apoio.

Vê, o homem! A exclamação feita pouco antes desta por Pilatos é de natureza igualmente pítica à pergunta: "O que é verdade?"[37] Talvez esta tenha sido apenas uma observação cínica de um pragmático do poder ("Verdade – o que é isso? O que vale ela?"), feita sem qualquer curiosidade filosófica. Jesus respondeu a essa pergunta com seu silêncio. Mas não seria a cena do *"Ecce homo"* ("Vê, o homem!") a resposta verdadeira à pergunta?

O homem coberto de feridas expressa uma verdade profunda sobre o ser humano e seu destino. O ser humano é *nada* – esta é a verdade da Sexta-feira Santa, e sem ela não existe a manhã de Páscoa. E

---

36. Cf. Lm 1,12.

37. Jo 18,38.

a ressurreição existe apenas onde também existem túmulos[38] – e nisso Nietzsche tinha razão. O que sabemos sobre o ser humano enquanto recuarmos diante da possibilidade de contemplar sem qualquer ilusão o limite extremo do destino humano, enquanto não tocarmos o fundo, enquanto desviarmos nossos rostos do abismo?

Lembremo-nos das análises brilhantes da relação entre verdade, poder e violência na obra de Michel Foucault; os eventos da Sexta-feira Santa nos confrontam com uma verdade que se encontra além do mundo do poder e da violência; com uma verdade que encontrou seu lugar na impotência humana e que se recusa explicitamente à violência ("Meu reino não é deste mundo. Se fosse deste mundo, os meus ministros teriam lutado para que eu não fosse entregue aos judeus"[39], Jesus diz a Pilatos). Em vez de se aliar à violência, em vez de exercer violência ou de se vingar e assim multiplicá-la infinitamente, a verdade prefere tornar-se sua vítima. Em seu sacrifício voluntário, *revela-se a verdade sobre a violência* e pretende assim – com todas as consequências que isso traz – se opor à maquinaria da vingança posta em movimento, e que reclama um número cada vez maior de vítimas[40]. Ela não pode "parar" a violência, mas pode revelar sua natureza verdadeira – e tornar-se um apelo àqueles que entendem o sentido desse sacrifício para que não apoiem ou alimentem esse mecanismo, para que não colaborem com ele e não recorram aos seus métodos.

Se Jesus é a Palavra de Deus para nós que assumiu *toda* a humanidade, então sua humanidade abarca não só aquela grandeza e perfeição do ser humano como imagem imaculada de Deus (Ele é o *Novo Adão*, Adão que não apresenta as cicatrizes da queda), mas também o polo oposto do ser humano, também o lado escuro, dolorosamente

---

38. Cf. NIETZSCHE, F. *Assim falava Zaratustra*. 2ª parte: "O canto do sepulcro" [KGW, VI 1, p. 141].

39. Jo 18,36.

40. A obra de R. Girard oferece uma interpretação profunda do sacrifício de Jesus (p. ex., *Der Sündenbock*. Zurique, 1988).

cicatrizado do destino humano, a miséria e a torpeza, diante das quais preferimos fechar nossos olhos, nossos ouvidos e nosso coração.

Karl Rahner descreve de forma sugestiva a semelhança dessa "sombra" com o Cristo da Paixão: "Como seria a imagem do homem que mostrasse justamente aquilo que ele é, mas que ele não quer nem está disposto a reconhecer? Precisaria ser a imagem de um moribundo. Pois não queremos morrer e, mesmo assim, estamos tão entregues à morte que ela permeia tudo na vida como um poder assombroso. O moribundo precisaria estar suspenso entre o céu e a terra. Pois não estamos completamente em casa nem aqui nem ali, pois o céu está distante, e a terra também não é uma pátria confiável. Ele precisaria estar sozinho. Pois quando tudo está em jogo, temos a impressão de que os outros tímida e vergonhosamente se desculpam (porque não conseguem nem lidar consigo mesmos) e nos abandonam. O homem na imagem precisaria estar traspassado por uma horizontal e uma vertical. Pois a intercessão entre a horizontal, que pretende abarcar tudo em sua largura, e a vertical, que busca nas alturas o único Uno exclusivo, atravessa o coração do homem e o corta em pedaços. Ele precisaria estar pregado. Pois a nossa liberdade nesta terra desemboca na necessidade do sofrimento. Ele precisaria ter um coração traspassado. Pois, no fim, tudo se transforma em lança que derrama a última gota de sangue do nosso coração"[41].

Não se oferece justamente a nós – a nós que nascemos no século no qual nos campos de concentração nazistas e comunistas, o ser humano foi roubado de muitas de suas ilusões modernistas e humanistas, a nós que vivemos no milênio que em cujo início o ataque terrorista de 11 de setembro de 2001 massacrou muitas promessas e esperanças otimistas de uma "manhã brilhante" – por meio dessa experiência histórica a possibilidade de compreender a cena do *Ecce homo* de forma nova e mais profunda? O homem ferido, acusado

---

41. RAHNER, K. "Rechenschaft des Glaubens". In: LEHMANN, K. (org.). *Karl Rahner-Lesebuch*. Zurique/Friburgo: Benziger/Herder, 1979, p. 203.

diante de um tribunal de um poder cínico, não nos é mais próximo e íntimo do que a imagem de um "Bom Pastor" amável nos cartões devocionais?

Já Pascal sabia muito bem que uma religião que se recusa a mostrar ao ser humano toda a sua miséria nada mais é do que a ilusão de uma projeção narcisista: "[...] *aqueles que reconheciam Deus sem reconhecer sua miséria, não o louvavam, louvavam apenas a si mesmos*"[42].

No final da narrativa da Páscoa, segundo São João, Jesus volta a mostrar suas feridas. E o apóstolo, até então atormentado por suas dúvidas, exclama: "Meu Senhor e meu Deus!"

Páscoa é o êxodo – a transição de uma visão das feridas de Jesus para outra, *a transição do Ecce homo! para o Ecce Deus!* Aquilo que a tradição da Igreja expressa na linguagem da metafísica com as "duas naturezas", nós podemos chamar de *o modo duplo de interpretar as feridas de Jesus*. As feridas de Jesus, contempladas a partir dessa perspectiva dupla, provocam duas reações revestidas em palavras – "o homem" e "Deus". E essas palavras, que designam algo tão radicalmente distinto (e ao mesmo tempo tão profundamente interligado), podem se referir à mesma pessoa.

Nem Pilatos nem Tomé nos apresentam reflexões teológicas sobre as "naturezas" de Jesus. Suas exclamações expressam uma emoção forte ou uma experiência de um encontro acompanhado de fortes emoções.

Normalmente, a exclamação de Tomé é compreendida como a maravilha e a alegria de um ser humano cujos sentidos o convenceram da realidade física da Ressurreição. Mas já observamos acima que talvez se trate também de algo diferente. (Aplica-se também ao

42. PASCAL, B. *Gedanken*, fragmento XXXII.

Novo Testamento o que os rabinos sábios afirmavam sobre os textos da Torá, ou seja, que cada passagem bíblica é tão profunda que ela permite no mínimo setenta interpretações diferentes[43].) A alegria de Tomé, sua "segunda conversão", foi provocada por algo que, evidentemente, o tocou de forma mais profunda do que os outros apóstolos: a identidade do Crucificado com o Ressurreto. As feridas de Jesus apontam para ele.

Todos os relatos sobre o encontro com o Ressurreto mostram que, após passar pelo "vale das sombras da morte", Ele está radicalmente mudado. Nem os discípulos no caminho de Emaús nem Maria Madalena, que lhe é tão próxima, conseguem reconhecê-lo no início. Aparentemente, os evangelhos pretendem ressaltar que o mistério da Ressurreição dentre os mortos significa *uma transformação radical*, não uma mera reanimação de um cadáver e um retorno para este mundo e esta vida.

Maria Madalena o reconhece pela voz; os discípulos a caminho de Emaús, no gesto de partir o pão; Tomé, nas feridas. Aquilo com o qual Jesus se legitima primeiramente diante de seus discípulos, reunidos por trás de portas trancadas na sala da Última Ceia, e mais tarde de forma mais clara e impressionante diante de Tomé são suas feridas, a *anamnesis* (a lembrança, a memória) da cruz. Jesus "passa pelas portas trancadas" – Ele vence a reclusão assustada dos apóstolos e lhes "mostra suas mãos e seu lado".

Ao ver as feridas de Jesus, Tomé experimenta o cumprimento das palavras de Jesus: "Quem me viu, viu o Pai"[44]. Ele vê *Deus em Jesus* – por meio da abertura de suas feridas.

É perfeitamente possível que não só a *unidade* do Crucificado e do Ressurreto, mas também aquela unidade misteriosa de *divindade e humanidade* – que expressa aquele dogma de Calcedônia (sobre a divindade de Cristo, sobre Jesus como verdadeiramente homem e

---

43. Um *midrash* judeu da Idade Média (BemR) fala dos *šivim panim šel há-Tora* – das "setenta faces da Torá".

44. Jo 14,9.

verdadeiramente Deus) e que, para muitos, é uma pedra de tropeço – se revele *por meio das feridas de Jesus*.

Dissemos acima que, naquele encontro com Tomé, Deus não só se manifesta, mas que Deus também *ocorre*. Deus vem aos homens não como um "fato", não como um "objeto" que podemos "tocar", "compreender" e "possuir" de forma aleatória. Um filósofo irlandês contemporâneo notável, Richard Kearney (que trabalha hoje principalmente nos Estados Unidos), sugere em seu livro inspirador *The God Who May Be*[45] que, além do conceito teísta fundamentalista de Deus como "fato dado" e da alegação igualmente fundamentalista dos ateus de que "Deus não existe", existe *uma terceira possibilidade*, ou seja, que *Deus pode existir* (*God may be*). Deus se dirige aos seres humanos (p. ex., a Moisés na sarça ardente[46]) como *possibilidade*, Ele se apresenta como convite, chamado ou missão (p. ex., "Vá e salva o meu povo"). Deus ocorre nesse diálogo, Ele *se realiza* onde as pessoas aceitam seu chamado (e o aceitam como aquele que chama).

É notável que Deus costuma se dirigir às pessoas às margens da sociedade ou em seu sofrimento (Moisés é um fugitivo, que trabalha como pastor do rebanho de seu sogro). Jesus – e Deus em Jesus – não só se solidariza com eles (com os inferiores, os não convidados, os feridos – já falamos disso no capítulo anterior), mas se identifica diretamente com eles: "O que fizestes a um desses meus irmãos menores, a *mim* o fizestes"[47].

---

45. KEARNEY, R. *The God Who May Be: A Hermeneutics of Religion*. Bloomington: Indiana University Press, 2011.

46. Ex 3.

47. Mt 25,31-45, esp. vers. 40.

"Ninguém vem ao Pai senão por mim"[48]. Os fundamentalistas e "exclusivistas" cristãos gostam de citar essa palavra de Jesus. Com sua ajuda, os guardiões autodenominados do portão do Reino dos Céus transformam o nome de Jesus em um xibolete (uma senha), que serve para distinguir e excluir de forma simples aqueles que foram rejeitados de antemão.

Nisso, porém – e Kearney chama atenção para isso –, eles se esquecem de perguntar *quem* é o sujeito dessa palavra de Jesus, quem representa o "eu" de Jesus, quem é Jesus e onde Ele está, Jesus, o único mediador entre nós e o Pai. Quem sou Eu? Jesus responde a essa pergunta justamente com sua declaração: "O que fizestes a um desses meus irmãos menores, a *mim* o fizestes". Os menores, as pessoas às margens (às margens também da Igreja), os necessitados aqueles que sofrem (não só em termos sociais), os feridos (não só fisicamente) apontam o caminho confiável e singular, o caminho que não pode ser relativizado para o Pai, um caminho do qual não podemos nos esquivar. É neles que Jesus está presente aqui como Caminho, Verdade e Vida.

Jesus está em toda parte onde as pessoas *sofrem necessidades* – em todos esses lugares, elas são para nós "uma oportunidade", uma porta aberta pela qual podemos passar para o Pai. Mas onde Jesus não está? Num único lugar Ele certamente não está: naqueles e com aqueles que se veem como justos, como conhecedores, que excluem os outros e que usam as palavras de Jesus para obstruir a porta que eles vigiam temerosamente, a porta pela qual eles mesmos não passam e impedem que outros passem.

Com essa interpretação das palavras de Jesus: "Ninguém vem ao Pai senão por mim" de forma alguma pretendemos relativizar o papel de Jesus, de forma alguma pretendemos enfraquecer sua pretensão exclusiva e relegar Cristo à multidão anônima de pessoas incontáveis. Pelo contrário: nós o aceitamos em sua *abundância* (com

48. Jo 14,6.

todos e em todos nos quais Ele se revela e oferece). É justamente nessa abundância que se encontra o mistério de sua *singularidade* – exatamente da mesma forma como sua singularidade consiste do mistério da sua comunhão singular com o Pai.

3
O mistério do coração

"A ferida do corpo abre o mistério do coração – *patet arcanum cordis per foramina corporis*", escreveu o santo místico Bernardo de Claraval[49]. Eu confesso que, por uma série de razões, demorei a criar coragem para escrever sobre esse *arcanum* – trata-se de um "mistério grande demais", de um verdadeiro *mysterium tremendum et fascinans*, o mistério de uma atração fascinante, mas ao mesmo tempo um mistério que abala, que me preenche com medo e terror.

Dois caminhos levam até ele – um caminho largo de antiga piedade pascal popular e um caminho íngreme de teólogos, filósofos e místicos (ou de teólogos que eram, ao mesmo tempo, filósofos e místicos). Ambos os caminhos, porém, representam também grandes perigos.

A veneração pia das cinco feridas de Cristo, de seu Sagrado Coração, da Nossa Senhora das Sete Dores, das Sete Palavras de Cristo na Cruz, do Véu de Verônica, do Sudário de Turim, das estações da via-sacra, do mistério do Rosário das Dores – tudo isso pode nos introduzir nas profundezas da narrativa de Páscoa, mas também ficar preso às superficialidades, na água rasa das carpideiras, que Jesus repreendeu em sua *via crucis* ("Filhas de Jerusalém, não choreis por

---

49. MIGNE, J.-P. (org.). *S. Bernardi abbatis primi Clarae-Vallensis opera omnia 2*. Paris: Migne, 1966, p. 1.072 [Patrologiae Cursus Completus – Series Latina 183].

mim! Chorai por vós mesmas e por vossos filhos!"[50]), ou até mesmo afundar na lama tóxica de fantasias sadomasoquistas. Será que todos esses exercícios pios conseguiram fortalecer no mundo cristão a resistência contra a violência e a solidariedade com suas vítimas? Não é verdade que, muitas vezes, as multidões de cristãos se dispersaram após ouvir os relatos da Paixão, para saquear os guetos judeus em vez de chorar e se cobrir de cinzas? Não é verdade que, após séculos de celebrações pascais, inúmeros cristãos permaneceram passivos e até mesmo indiferentes na época do maior ataque contra os judeus da história da humanidade, durante aquele "Gólgota do nosso tempo", como o expressou João Paulo II em Auschwitz?

Mas qual é o caminho dos filósofos e dos teólogos? Apesar de não ser supersticioso, estremeço um pouco quando reflito sobre a curiosa incidência do tema escolhido e do destino daqueles que, em tempos mais recentes, mais se aprofundaram no mistério da cruz e da morte do Deus-Homem. Nietzsche, que girava em torno do profundo mistério "da morte de Deus" como uma mariposa, foi devorado pelas chamas da loucura. O protestante Dietrich Bonhoeffer e o jesuíta Alfred Delp, que, olhando para a cruz de Cristo, se ocuparam com o trágico do ponto de vista da fé e com a fé sem apoio na imagem metafísica de Deus, morreram no cadafalso antes de concluírem seus pensamentos. A filósofa e carmelita Edith Stein, de descendência judia (Santa Teresa Benedita da Cruz) não conseguiu terminar sua *Ciência da cruz*, pois foi assassinada no "Calvário do nosso tempo", nas câmaras de gás de Auschwitz. O filósofo tcheco Jan Patočka, convencido de que "o cristianismo é um projeto incompleto" e capaz de dar apenas respostas insatisfatórias às nossas perguntas mais urgentes, expressou nos seminários da resistência tcheca a opinião segundo a qual os teólogos ainda não haviam levado a cabo o grito: "Meu Deus, por que me abandonaste?" Mas ele não teve a oportunidade de anotar esses pensamentos – na idade socrática, ele

---

50. Lc 23,28.

abandonou a solidão acadêmica para se juntar à luta no campo de batalha político-moral e morreu após repetidos interrogatórios pela polícia secreta da Tchecoslováquia. Como Sócrates, tornou-se vítima da maldade daqueles que o acusaram de "não acreditar nos deuses nos quais o Estado acredita e de perverter a juventude". E certamente poderíamos acrescentar outros a essa lista.

É como se algo impedisse que esses pensamentos fossem expressos por completo, é como se algo os protegesse, como se pudessem apenas ser insinuados – mas não levados a cabo no papel ou nos auditórios das universidades, mas apenas onde a sombra da cruz recai sobre os destinos humanos; é como se esses pensadores, justamente no momento em que refletiam sobre as profundezas mais escuras do sofrimento de Cristo, tivessem que *completar com seu próprio sofrimento aquilo que ainda falta nos sofrimentos de Cristo*[51] – para usar as palavras do apóstolo. Ou será que foram justamente essas meditações que deram a alguns deles o impulso e a força para efetuar uma virada em suas vidas, para a "não indiferença" (como a fé também era descrita[52]), para a coragem do sacrifício, para verdadeiramente "suportar a cruz"?

Voltemos então para as formas de expressão da piedade popular e comecemos com elas!

No Sábado de Aleluia, no fim da Semana da Páscoa, durante séculos, as multidões (que jamais haviam lido as reflexões de Nietzsche sobre a "morte de Deus") visitavam, despreocupadas, o

---

51. Cf. Cl 1,24.

52. A "não indiferença" ("*la nondifférance*") é um conceito muito usado de E. Lévinas. Sobre a fé como "não indiferença", sobre a educação religiosa como "educação para a não indiferença", cf. SVOBODOVÁ, Z. *Nelhostejnost* [não indiferença] – Črty k (ne) náboženské výchově. Praga: Malvern, 2005. (O título de seu estudo inspirador inspirou também o subtítulo original desse livro: Espiritualidade da não indiferença.)

"túmulo de Deus", e ainda hoje o visitam, contanto que o purismo um tanto temeroso das reformas litúrgicas pós-conciliares não tenha retirado o "túmulo de Deus" para venerar em silêncio "as sagradas feridas".

A esta altura, precisamos fazer uma segunda excursão para a história da teologia e do pensamento teológico. O uso ortodoxo da expressão "túmulo de Deus" (e também "morte de Deus") permite aos cristãos resgatar uma parte notável do tesouro da tradição teológica, ou seja, a doutrina sobre a *communicatio idiomatum* (a troca de atributos): a fim de ressaltar a unidade de divindade e humanidade em Cristo e os vínculos recíprocos entre as pessoas da Divina Trindade (*perichoresis*), nós podemos – num sentido determinado e bem-definido – aplicar características de Deus Pai ao Filho, e vice-versa[53]. Podemos então dizer que "Deus morreu", se com isso quisermos expressar que quem morreu foi aquele que era, "ao mesmo tempo", Deus e homem, mesmo que – coisa que precisamos sempre manter em mente – tenha morrido "segundo sua natureza humana e não divina".

Essas reflexões podem parecer um pouco desajeitadas, mas o princípio fundamental da *communicatio idiomatum* é realmente uma chave hermenêutica para a interpretação dos grandes paradoxos da fé cristã, e ele nos permite, sobretudo, usar a maravilhosa língua dos poetas na teologia, na liturgia, nas homilias e na arte cristã. Sem ele, não existiria a linguagem densa dos místicos alemães (penso aqui principalmente no Mestre Eckhart) nem de seu herdeiro e sucessor radical Martinho Lutero, que constrói sua *teologia da cruz* sobre o pensamento de que o Deus oculto se manifesta apenas *sub contrario*, em seu oposto. E o que teria restado, por exemplo, da dinâmica fascinante da arte barroca, se não existisse esse jogo das luzes e das

53. Nesse sentido, Lutero escreve: "Este Homem [Jesus] criou as estrelas; Deus grita no berço; o Homem [Jesus], que mama no seio da mãe, é Criador e Senhor dos anjos: aquele que tudo criou dorme na manjedoura" (MEESSEN, F. *Unveränderlichkeit und Menschwerdung Gottes* – Eine theologiegeschichtlich-systematische Untersuchung. Friburgo i. Br.: Herder, 1989, p. 48).

sombras, da penetração constante da sensualidade multicolorida e do êxtase espiritual, do azul do céu e das chamas escarlates do inferno! Com que língua teriam falado os grandes pensadores do cristianismo como Pascal ou Kierkegaard sobre uma *religião do paradoxo*? O que restaria dos paradoxos do pecado e da graça nos romances de Graham Green? Da "teologia da morte de Deus", dessa herdeira moderna da *teologia da cruz* paulina e luterana, restaria apenas uma mistura de absurdidades e blasfêmias – e é justamente assim que essa escola é percebida por aqueles que tentam transformar a teologia em uma "ciência" mais ou menos séria, mas sem jamais terem sido iniciados na arte do pensamento *teológico*.

Sigamos então aqueles que, no Sábado de Aleluia, vieram ao "túmulo de Deus" (como a língua tcheca chamava as representações do túmulo sagrado, ou seja, do túmulo de Cristo), para venerar as "feridas sagradas" – as feridas de Deus. Mas o que são as feridas de Cristo? O que é a ferida em seu coração, que, por meio do corpo ferido, revela o *arcanum* de seu mistério mais íntimo? De que consiste a dor verdadeira, o fardo e a escuridão da cruz?

Não são as torturas físicas, nas quais o senso pio se deleitava tanto, não é nem mesmo a própria morte física. É algo diferente, mais profundo, algo que provoca um terror ainda maior. Tocar as feridas de Cristo, não só as feridas de suas mãos e de seus pés, que testificam seu sofrimento físico, mas também a ferida no lado, que atingiu o coração, significa tocar a escuridão, da qual testemunha o grito do homem completamente abandonado por Deus. *A ferida até o coração* é aquilo que se expressa na palavra de Jesus na cruz; aquela palavra que um único evangelista teve a coragem de documentar: *Deus meu, por que me abandonaste?*[54]

---

54. Mc 15,34. Não podemos aliviar o peso dessas palavras nem mesmo dizendo

Nesse grito vislumbramos já a escuridão daquele momento do qual o credo apostólico diz: desceu à mansão dos mortos. Somos tentados a dizer (se – a despeito da licença que a *communicatio idiomatum* concede à linguagem da pregação – não temêssemos nos aventurar na ponte estreita, sob a qual se abre o abismo da blasfêmia): nesse momento sua fé foi crucificada e traspassada, sua unidade com o Pai; nesse momento "Deus morreu" para ele (e nele). Jesus tomou sobre si não só a morte humana, mas também *a morte de Deus*.

Se aquela sentença "Deus está morto", que fascina o Ocidente há mais de um século, tiver algum "sentido cristão", se ela for algum *locus theologicus*, então o encontramos no mistério da Sexta-feira Santa; então o encontramos no abismo que se abre no grito do Crucificado.

A tradição nos ensina que Jesus esvaziou até a última gota o cálice amargo da separação de Deus. O abandono, a alienação de Deus, o fato de Deus estar tão distante, mudo, totalmente ausente, de até parecer *morto* – isso não é consequência apenas do pecado, o castigo pelo pecado, mas a natureza misteriosa do próprio pecado, seu coração escuro.

O pecado grave, "o pecado mortal", "mata a vida divina" em nós – podemos ler isso em cada catecismo. E assim Deus e o pecado se encontram como nunca até agora – nesse momento, esses opostos radicais se penetram e se misturam: "Ele se fez pecado por nós"[55], diz São Paulo sobre o Crucificado. Martinho Lutero o expressa de forma dramática: Deus ordenou que Ele – o único justo – se tornasse o maior pecador, que Ele descesse para todos os pecados do mundo, que Ele se tornasse o transgressor em Adão, o assassino em Caim, o adúltero em Davi, o covarde em Pedro, o traidor em Judas etc. Aquilo que não foi aceito não pode ser remido!

---

que se trata de uma citação do Sl 22, que termina com uma nota tão "otimista".

55. Cf. 2Cor 5,21; Gl 3,13; Rm 8,3.

Ser o bode expiatório, tomar sobre si todos os pecados do mundo, como se expressou Paulo de forma tão profunda, significa a solidariedade extrema com os pecadores, a máxima possível: não pecar, mas *tornar-se pecado*. Este é o mistério da cruz: aqui o pecado se choca paradoxalmente contra Deus em um coração humano, que é ao mesmo tempo o coração de Deus, no coração humano do homem de Nazaré, sobre o qual a Igreja canta na liturgia sobre o coração de Jesus com as palavras de Paulo, que diz que nele "habita toda a plenitude da divindade". É aquele momento da luta primordial do bem contra o mal – aquele momento da morte, em que o tempo irrompe na eternidade, em que o mal, o pecado, a violência, a escuridão e a morte parecem sair vitoriosos. Aquele momento, em que aquele atentado a Deus, o pecado (a tentativa de Adão de ser "como Deus" e assim tornar Deus supérfluo – e todos os nossos pecados, que apenas confirmam essa tentativa de banir Deus), parecia ter sido bem-sucedido.

Chesterton recomendou Cristo como "Deus para os ateus": Se os ateus tivessem que escolher uma religião, que escolhessem o cristianismo, *pois nele, durante um instante, Deus parecia ser ateu*[56].

Não é aquele *arcanum* o mistério protegido, que só pode ser vislumbrado através da ferida no coração do Filho de Deus, a "autoentrega divina" total, como se aqui Deus se despisse de seu próprio ser e se escondesse naquele *nada*, o qual toda criatura mortal precisa atravessar? Não é justamente este o momento-chave do diálogo eterno do Pai com o Filho e do diálogo do Criador com o mundo e com a humanidade – que Deus, no sofrimento de seu filho, demonstra sua solidariedade conosco em nossa nulidade e mortalidade no

56. Cf. CHESTERTON, G.K. *Ortodoxie*. Praga: Nakladatelství Akademie věd České republiky, 2000, p. 121.

sentido de que Ele oculta a sua face e seu ser até mesmo diante do seu Filho, de forma que, neste momento, o Filho vivencia o Pai como um Deus *totalmente ausente*, como um Deus "morto"?

Mas não é este ao mesmo tempo aquele ato redentor e libertador do Filho, o ato de *atravessar* também este momento de escuridão completa – e o fato de, já no momento da articulação dessa "fé crucificada", no grito do moribundo, ele expressa essa experiência abismal não na linguagem do desespero e da resignação, mas na forma de uma *pergunta* amarga?

Se sua fé foi "crucificada" e traspassada pela experiência da distância infinita de Deus, para a qual não temos uma palavra mais sombria do que "a morte de Deus", então o simples fato de Jesus expressar essa experiência-limite na forma de uma pergunta – "*Por que* me abandonaste?" – ou seja, que Ele não para de perguntar, que Ele *não interrompe o diálogo* com o Pai nem mesmo neste momento de agonia, em que – do ponto de vista humano – Ele não pode esperar qualquer resposta, já é um prenúncio da ressurreição. O momento, diante do qual – segundo os relatos dos evangelhos – até mesmo o sol cobriu o seu rosto, contém em si já a aurora da manhã da Páscoa. Com todo direito João descreve, em sua paixão, a cruz já como vitória; a humilhação de Cristo, como "exaltação", e no lugar da pergunta amarga do Abandonado ele já ouve a paz e a reconciliação (*shalom*) da manhã vitoriosa que se aproxima: Está consumado!

Quando Jesus, naquele momento em que Ele sente o abandono total de Deus, *mesmo assim* lança o grito de sua *pergunta* naquela escuridão, este momento da cruz (e da cruz de sua fé) revela algo essencial sobre o caráter da fé realmente *cristã* (e não "religiosa" num sentido geral): a fé autêntica dos discípulos de Jesus possui o caráter do "mesmo assim": trata-se de uma fé ferida, traspassada; mesmo assim é uma fé que *não para* de perguntar, de procurar; é uma fé crucificada e ressuscitada – ou seja, uma fé verdadeiramente pascal.

4
A cortina se rasga em duas partes

Segundo o Evangelho, no momento da morte de Jesus, a cortina do templo se rasgou[57], expondo a nudez, a escuridão e o vazio do santuário central do templo de Jerusalém. Os tabernáculos abertos e vazios das igrejas católicas no Sábado de Aleluia lembram esses dois símbolos profundamente interligados – o santuário exposto do templo e o coração de Jesus, aberto pela lança do oficial romano.

Agora, o coração de Jesus também está vazio – segundo o Evangelho de São João, sangue e água escorreram dele; os comentários dos Padres da Igreja reconhecem nisso a fonte para os sacramentos do Batismo e da Eucaristia[58] – o servo divino "esvaziou-se a si mesmo"[59]. Sua ferida e seu vazio expressam, como também o santíssimo santuário do templo, aquela penetração misteriosa e recíproca do vazio e da plenitude que há milênios fascina os místicos não só dos caminhos espirituais ocidentais, mas também e principalmente orientais.

---

57. Cf. Mt 27,51; Hb 10,19-20.

58. Nos comentários patrísticos, nós lemos: Assim como nasceu Eva do lado aberto de Adão, assim nasceu do lado aberto de Cristo a "mulher eterna", a Igreja. De forma semelhante, Maria é percebida como símbolo da Igreja: Maria aos pés da cruz, em algumas representações com o "Santo Graal", o cálice que capta o sangue do coração. Ela é ao mesmo tempo mãe e noiva – a Igreja com sua proclamação e os sacramentos "pare" constantemente "Cristo" nas almas das pessoas e no espírito de nações.

59. Fl 2,7.

O coração traspassado e a cortina rasgada (a Epístola aos Hebreus fala do véu do corpo)[60] significam ao mesmo tempo a queda do muro da inimizade entre Deus e o homem e entre os homens. A partir de agora, todos poderão percorrer *juntos* aquele "caminho novo e vivo para o santuário central", para o Pai de todos, de todos que partem em direção ao caminho apontado pelos braços do crucificado. *Ele é nossa paz*[61] (*shalom*) e nossa reconciliação, Paulo não se cansa de repetir; agora não existe mais um "nós" e "eles". O teólogo protestante da Croácia Miroslav Volf escreveu sobre esse espaço aberto na cruz: "Na essência mais profunda da cruz de Gólgota reconhecemos a vontade de Cristo de não permitir que alguma pessoa permaneça na situação em que continue como inimigo e de abrir dentro de si um espaço no qual o adversário possa entrar. Se virmos a cruz como auge de uma longa história de ação divina no meio da humanidade, o que essa cruz diz é que a humanidade pertence a Deus, apesar da evidente inimizade desta em relação a ele. [...] Na cruz, Deus desiste de si mesmo para não ter que desistir da humanidade; a cruz é a consequência do desejo de Deus de romper o poder da inimizade dos homens sem violência e de incluir os seres humanos em seu próprio ser. [...] Os braços do Crucificado estão abertos e são um sinal do espaço no ser de Deus – e um convite aos inimigos de entrarem nele"[62].

A cortina rasgada do templo foi percebida como consumação, como encerramento da "aliança antiga" e como substituição *pela aliança nova e eterna*, firmada pelo sangue da cruz de Jesus. Ou seja, a aliança original de Deus, o Senhor, com um povo escolhido foi superada pela nova abertura do coração divino; a partir de agora,

---

60. Hb 10,20.

61. Ef 2,14.

62. VOLF, M. *Odmítnout nebo obejmout?* – Totožnost, jinakost a smíření v teologické reflexi. Praga: Vyšehrad, 2005, p. 144-145 [Título original: *Exclusion and Embrace* – A Theological Exploration of Identity, Otherness and Reconciliation. Nashville: Abingdon, 1996].

ela é estendida a todas as nações e vale para todas as pessoas[63]. Jesus cumpriu o destino do templo e também do sumo sacerdote e dos sacrifícios do templo – Ele é o único e definitivo sumo sacerdote, já agora o único e exclusivo mediador entre Deus e os homens; Ele é o templo verdadeiro e vivo; Ele mesmo é o sacrifício, que cumpre, substitui e anula todos os rituais de sacrifício[64]: Não é por meio do sangue dos bodes e dos bezerros, mas "no caminho novo e vivo", que Cristo nos abriu com seu próprio sangue, "por meio do afastamento do véu – i. e., por meio do sacrifício de seu corpo" – é que podemos nos aproximar de Deus sem distância[65]. Foi assim que já as primeiras gerações de cristãos entenderam isso, e encontramos essa acepção também nas epístolas do Novo Testamento, sobretudo na teologia da Epístola aos Hebreus.

Aparentemente, a cortina do templo apresentava bordados com símbolos das estrelas e das constelações, a cortina era o símbolo do cosmo[66]. O véu rasgado (e o coração traspassado de Jesus) adquire assim um significado adicional: Ela aponta para a extensão

---

63. O téologo, publicista e historiador judeu Schalom Bem-Chorin afirma que a exclusividade da aliança (sua restrição aos judeus) caracteriza, sobretudo, o judaísmo do pré-exílio, mas já no exílio babilônico e depois no judaísmo da Diáspora surge o pensamento da universalidade, que Paulo (o judeu da Diáspora) toma como ponto de partida e desenvolve radicalmente (cf. BEN-CHORIN, S. *Paulus* – Der Völkerapostel in jüdischer Sicht. Munique: List, 1970, p. 170-179). Segundo outros autores, porém, "o universalismo" está presente no judaísmo desde o início: No êxodo do Egito, muitos "erev-rav" – muitos não judeus – saíram com o povo; na Festa do Sucot (dos Tabernáculos) costumavam fazer um sacrifício também para outras nações; Jonas fala da conversão dos marinheiros pagãos etc.

64. O cristianismo como consumação, conhecimento, superação, encerramento do mecanismo dos sacrifícios é um grande tema dos trabalhos no âmbito da ciência da religião de René Girard (cf. esp. GIRARD, R. *Der Sündenbock*. Zurique: Benziger, 1988). Na verdade, porém, os sacrifícios terminaram no judaísmo com a queda do templo no ano 70 d.C. As autoridades rabínicas transferiram o simbolismo "dos sacrifícios sangrentos" para "os sacrifícios dos lábios" – i. e., para as orações.

65. Cf. Hb 7–10, esp. 10,18-22.

66. Cf. VON BALTHASAR, H.U. "Mysterium paschale". In: FEINER, J. (org.). *Mysterium salutis* – Grundriss heilsgeschichtlicher Dogmatik – Vol. III,2: *Das Christusereignis*. Einsiedeln: Benziger, 1969, p. 214.

cósmica do sacrifício redentor de Jesus. Os filósofos da era dourada da metafísica alemã tardia, Schelling e principalmente Hegel, escreveram sobre o significado da cruz e da "morte de Deus" para a história do espírito absoluto, que abarca toda a história da natureza e da humanidade; hinos pascais da liturgia das horas louvavam já séculos antes o sangue com o qual são lavadas até mesmo as estrelas.

No início da liturgia da Vigília Pascal, quando o sacerdote abençoa a vela pascal e coloca nela sete sementes de incenso, *o símbolo das cinco feridas transformadas e curadoras de Cristo*, antes de rezar: "Por meio de suas feridas sagradas, que brilham em glória, guarde e proteja-nos Cristo, o Senhor", ele usa essas sementes para gravar na vela a primeira e a última letra do alfabeto grego, lembrando assim essa grandeza cósmica do Ressurreto, que abarca tempo e espaço: Cristo, ontem e hoje, princípio e fim, alfa e ômega, a Ele o tempo e a eternidade...

Durante séculos os cristãos pensaram muito pouco em como esse "misticismo do véu rasgado" magoava seus irmãos e suas irmãs mais velhos na fé, os judeus. Pois o "véu rasgado" não significa que o judaísmo se tornou inválido? E esse pensamento não permite a conclusão de que os judeus como judeus (se não se convertessem ao cristianismo) *não deveriam mais estar aqui*? E não está esse pensamento (graças a Deus levado a cabo apenas raramente) a apenas um passo daquela passividade com a qual muitos cristãos assistiram (ou olharam para o lado) quando o neopaganismo antijudaico e anticristão do nacional-socialismo tentou realizar aquela "solução final" – a exterminação dos judeus e do judaísmo? E não havia aqui também cristãos que, no holocausto (como já 20 séculos antes na destruição do Templo de Jerusalém pelos romanos), reconheceram o cumprimento merecido das palavras dos acusadores judeus diante do tribunal de Pilatos, registradas no Evangelho de São Mateus: "O sangue dele caia sobre nós e sobre nossos filhos"?

Hoje, quando os católicos (também aqui na República Tcheca) ouvem de todos os lados como a Igreja *de hoje* é acusada dos pecados realmente cometidos ou inventados ou aumentados pelos historiadores do Iluminismo ou do marxismo pela Igreja medieval e se perguntam por que as pessoas não acham absurdo atribuir algo a nós com o qual nós, os cristãos de hoje, realmente nada temos a ver (é muito provável que muitos de nós teriam sido vítimas da inquisição da Idade Média, e não carrascos), então nós, os católicos, devemos nos lembrar de que, poucas gerações atrás, muitos cristãos consideravam absolutamente normal aplicar a "culpa coletiva", essa condição absurda que nega toda a história, aos judeus. Será que foi realmente necessário ocorrer primeiro o holocausto para que os documentos papais declarassem claramente que a responsabilidade pelo suposto processo diante do Sinédrio de dois mil anos atrás não pode ser atribuída ao povo judaico como um todo – nem no tempo de Jesus e muito menos nos dias de hoje?

Johann B. Metz, um dos principais representantes da "teologia católica após Auschwitz", lembra, em um de seus artigos, a representação da sinagoga como mulher alquebrada de olhos vendados ao lado de uma mulher de cabeça erguida em triunfo, que representa a Igreja. O motivo das duas mulheres, da Igreja e da sinagoga, com a sinagoga representada de olhos vedados – uma referência ao texto de Paulo sobre o véu nos corações dos judeus que não aceitaram Cristo[67] –, não se encontra apenas no portal da Catedral de Bamberg, mas é também um motivo frequente e popular nos portais das catedrais góticas. Metz, porém, pergunta: *Quanto será que aqueles olhos vedados chegaram a ver?*[68]

---

67. 2Cor 3,14-15.

68. METZ, J.B. *Memoria passionis* – Ein provozierendes Gedächtnis in pluralistischer Gesellschaft. Friburgo i. Br.: Herder, 2006, p. 63s.

Se a Igreja jovem do século II decidiu definitivamente contra o herege Marcião que ela venerará sempre a Bíblia hebraica como parte inseparável de suas Escrituras Sagradas, nós também deveríamos nos sentir responsáveis por incluir a *memória dos judeus* – desde Abraão até hoje, inclusive as feridas causadas ou permitidas pelos cristãos – como parte sagrada à nossa própria memória. No credo, quando confessamos nossa fé na "comunhão dos santos" (*communio sanctorum*), não podemos excluir dessa fé e negligenciar "o primeiro amor de Deus", i. e., Israel. Sim, nossa "solidariedade com as vítimas", à qual o grito de Jesus na cruz nos obriga, não pode incluir apenas aqueles que carregam uma cruz no peito, mas também aqueles que ali estampavam a estrela de Davi.

Metz lembra a expressão sobre Israel como "paisagem de gritos"[69]. Em vez de apresentar ao povo mitos confortantes, que "explicam" a dor (e que encontramos em grande número em nações vizinhas), o salmista e os profetas entoam diante de Deus as vozes daqueles que sofrem, vozes que não se calarão até a justiça definitiva e escatológica, até a hora da vinda do Messias. A mensagem cristã da Ressurreição é a confirmação de que Deus ouviu o grito da dor de seu Filho e acolheu os lamentos de todos aqueles aos quais foi roubado a voz na história "escrita pelos vencedores"; por isso, Metz insiste que os cristãos ainda ouçam na proclamação da Ressurreição o grito do Ressurreto, caso contrário a proclamação reproduziria apenas uma "mitologia sobre o vencedor" – e não a teologia cristã da cruz.

Agora que a meditação sobre o "túmulo de Deus" nos levou a essas reflexões sobre Israel, precisamos nos perguntar se na "memória

---

69. Metz atribui a autoria dessa expressão repetidas vezes – mas sem citar a fonte – a N. Sachs (cf. ibid., p. 8, 68, 101).

judaica" e na teologia judaica também pode ser encontrado o motivo do "silêncio divino" e da ausência de Deus, que permeia toda a experiência cristã do Sábado de Aleluia.

Na primeira vez que me vi diante do Muro das Lamentações do Templo de Jerusalém, destruído no ano 70 d.C. pelos romanos, percebi o quanto esse "monumento" singular se parecia com o "túmulo de Deus" do Sábado de Aleluia e como ele revela de certa forma – no espírito de uma "teologia negativa (apofática) – a essência da metáfora religiosa e do simbolismo em geral: o que torna este lugar sagrado é que ele *aponta para aquilo que aqui não se encontra* – e ele permite vivenciar aqui tanto a ausência dolorosa daquele que está presente como também a presença confortante e misteriosa daquele que está ausente.

Desde sempre, o "Deus oculto" tem sido um tema do pensamento judeu, sobretudo do misticismo judeu, da *cabala*. Talvez possamos comparar a expressão do Deus oculto com o pensamento cabalístico da "autocontração" de Deus[70]. Deus é onipresente, por isso, quando criou o mundo e o ser humano, Ele teve de criar um espaço para o mundo no interior de seu ser. Como outro motivo da ocultação, podemos citar também o pensamento segundo o qual a glória de Deus (*schechina*) acompanha o povo de Deus de forma oculta também no exílio. Os judeus vinculam esse exílio divino aos momentos difíceis de sua história – a glória de Deus sofre com os judeus durante os anos de escravidão no Egito e compartilha com eles também a tortura durante os anos no deserto, ela acompanha os judeus para a Babilônia, compartilha com eles a perda da pátria e a dispersão entre os povos. O maior desenvolvimento da cabala remete a uma hora escura da história medieval dos judeus, à sua expulsão da Espanha; certamente, os eruditos judeus de Safed, na Palestina, procuraram dar uma resposta a esses eventos com esse ensinamento.

---

70. O pensamento do Deus que se retrai (*zimzum*) provém da cabala luriana, designada assim em homenagem a Isaak Luria (1534-1572).

A "teologia judaica após Auschwitz" – após essa terrível experiência do "silêncio de Deus" e da ausência de Deus, de sua não intervenção – recuperou esse antigo motivo: Segundo Hans Jonas[71], Deus desistiu de um de seus atributos, sua onipotência. Em Auschwitz, Ele esteve presente naqueles que nem mesmo lá pararam de rezar ou que, como Jó, o convocaram para o julgamento. Por isso, hoje Ele só está presente no mundo por meio da oração, por meio da esperança e fidelidade daqueles que o confessam, por meio de suas respostas à sua Palavra; mas esta palavra só pode ser ouvida se nos transformarmos em ouvintes.

As palavras de Elie Wiesel, que em seus romances e suas reflexões sempre retorna para o sentido religioso de sua própria experiência de Auschwitz (para sempre encerrar com a confissão de que ele *não consegue compreender* aquilo), parecem familiares e inspiradores também para um cristão que reflete sobre a luta de Cristo no Getsêmani, sobre seu grito na cruz e sobre o silêncio de Deus, o silêncio do Sábado de Aleluia (e sobre tudo que esses motivos pascais esboçam e simbolizam). "Não acredito que nós (depois de Auschwitz) possamos falar *sobre* Deus, podemos apenas – como o expressou Kafka – falar *a* Deus", escreve Wiesel. "Mesmo quando falo *contra* Ele, falo a Ele. E mesmo quando tenho ódio dele, tento mostrar-lhe meu ódio, mas justamente nisso há uma confissão de Deus, não uma negação de Deus"[72]. E um dos comentaristas da obra de Wiesel observa: "Lutar com Deus significa demonstrar-lhe o maior respeito: levamos Deus a sério. [...] Indiferença em relação a Deus significa uma ofensa a Deus. Comportamo-nos como se Deus não ocupasse um papel importante. [...] Existem muitos eventos importantes que justificam *o grito que se transforma em oração*. Enquanto existir um mal evidente neste mundo, o grito é necessário

71. JONAS, H. *Der Gottesbegriff nach Auschwitz* – Eine jüdische Stimme. Frankfurt: Suhrkamp, 1987.

72. BOSCHERT, R. "Gespräch mit Elie Wiesel". *Süddeutsche Zeitung*, 28-29/10/1989.

por razões morais. [...] Em defesa da criação, em nome da humanidade – até mesmo em interesse de Deus, a luta do ser humano com Deus é justificada"[73].

Mesmo que a cortina do templo tenha rasgado, mesmo que o templo tenha sido queimado e derrubado, mesmo que Deus se cale – o ser humano (não apenas em sua obediência, mas também em suas perguntas e em sua ira) não permanece indiferente em relação a Deus.

O Deus do qual fala a Bíblia se manifesta em sua obra, em sua criação e, sobretudo, na encarnação de seu Filho; mesmo assim, como ressaltam os grandes teólogos cristãos, aquilo que Deus é "em si mesmo" e "como Deus *é*" (o significado do verbo ser quando remete ao ser de Deus) permanece para nós um mistério incompreensível. Essa ocultação de Deus foi ressaltada também pela *teologia negativa* cristã.

Seguindo essa tradição, o Mestre Eckhart escreveu: "O Deus que existe não existe". Isso significa: Deus *não é* "um ser" no meio de outros entes do mundo – neste mundo dos entes físicos, Deus é "um nada" – e você, humano, também precisa se tornar "um nada" (agarrar-se a *nada* neste mundo e identificar-se com *nada*, permanecer "pobre" – ou seja, *internamente livre*) se quiser se encontrar com Ele ("como um nu com o nu"). Apenas em sua "nulidade" (da pobreza, da liberdade), você pode ser "igual a Deus".

Martinho Lutero, que em muitos aspectos remontava à teologia negativa, vinculou o pensamento da ocultação total e da inacessibilidade de Deus à sua "teologia da cruz", que radicalmente leva a cabo

---

73. BROWN, R.M. *Elie Wiesel*: Zeuge für die Menschheit. Friburgo i. Br.: Herder, 1990, p. 160s. [orig. em inglês, 1983]. Citado segundo GROSS, W. & KUSCHEL, J. (orgs.). *"Ich schaffe Finsternis und Unheil!"* – Ist Gott verantwortlich für das Übel? 2. ed. Mainz: Matthias-Grünewald, 1995, p. 152 [grifo de T.H.].

o ensinamento do Apóstolo Paulo. Deus se manifesta *sob seu oposto* (*sub contrario*), Ele se oculta nos paradoxos. Buscar a essência oculta de Deus – sua força, sua divindade, sua bondade – não leva a nada, trata-se de um esforço (vão) dos filósofos e dos "teólogos brilhantes" (falsos). Não deveríamos nos apoiar na razão, na filosofia (nem em seus próprios atos, méritos e sua boa vontade) – pois tudo isso é apenas uma ilusão do diabo no caminho para Deus. Um teólogo verdadeiramente cristão é apenas um *teólogo da cruz* – que sabe que não existe outro caminho para o conhecimento de Deus senão por meio daquela força divina que se oculta na fraqueza, na humilhação e na impotência do Crucificado; senão por meio daquela justiça de Deus que transparece naquele que se fez pecado por nós: o caminho para o amor carinhoso e misericordioso de Deus precisa passar por sua ocultação no terrível drama da Páscoa. O encontro com Deus "ocorre quase sempre naquele lugar, quando, de tal modo, por meio de uma pessoa, por meio da qual não o achamos possível. [...] Pois Ele está perto de nós e em nós, naturalmente apenas em forma estranha, não no brilho da glória, mas na humilhação e mansidão, de forma que poderíamos acreditar que não é Ele, mas é verdadeiramente Ele"[74]. Depois de Lutero, precisamos substituir os esforços neoplatônicos e escolásticos de falar sobre Deus sob a perspectiva da eternidade, *sub specie aeternitatis*, por esforços sob a nossa perspectiva humana, *sub specie temporis*. Precisamos abrir mão de "Deus em sua majestade e sua essência", pois nada temos a ver com esse Deus; a nós foi dado apenas o *Deus humanus*, que se revela em Cristo e sua cruz. Mas é justamente esse *Deus humanus* que se opõe completamente às nossas concepções pias e aos desejos da nossa razão.

---

74. ALAND, K. (org.). *Luther Deutsch: die Werke Martin Luthers in neuer Auswahl für die Gegenwart* – Vol. 1: Die Anfänge. Stuttgart: Klotz, 1969, p. 162.

O Deus oculto de Lutero tem também uma face assustadora, esse Deus está por trás de tudo "que ocorre, por trás também do mais terrível e horrível, por trás de toda a insensatez da história". Ele toma sobre si "a máscara do diabo" e pode "desaparecer na ausência completa. [...] Contra esse *Deus absconditus* o ser humano precisa se refugiar no *Deus revelatus*, fugir de Deus para Deus [...]"[75].

Para descobrir esse tipo de Deus oculto e surpreendente, para afirmar a declaração escandalosa e tola segundo a qual o Crucificado e Condenado voltou a viver e é causa da salvação, nenhuma razão é suficiente. Isso só é possível com a coragem e a graça da fé. O ser humano não chega ao "Deus puro sobre si", ao Deus despido (*Deus nudus*); as tentativas dos metafísicos de compreender a essência divina em termos abstratos revelam antes a pequenez e nudez humana (*homo nudus*), se é que não o levam diretamente para as garras do diabo. Deus é *para nós* apenas o *Deus humanus*.

Semelhantemente, não faz sentido especular sobre as "naturezas" de Cristo, mas apenas sobre seu ser *para nós*, sobre os seus benefícios (*beneficia Christi*), com os quais Ele se reveste. Com o manto do Sangue de Cristo, Deus reveste nossa pecaminosidade e nossa nudez, como que com um manto da justiça, e nos declara justos. Agora, todo cristão, em virtude da vitória de Cristo sobre a morte, que é a morte da morte (*mors mortis*), é *ao mesmo tempo* justo e pecador (*iustus et peccator*). Nem por um instante, Lutero se afasta do paradoxo em sua doutrina sobre Deus e a redenção.

Jamais alguém compreendeu o "Evangelho de Paulo", a contribuição mais profunda e primordial do Novo Testamento, com tanta agudeza e de forma tão radical quanto os pensadores do paradoxo: Lutero, Pascal e Kierkegaard.

---

75. EBELING, G. *Dogmatik des christlichen Glaubens* – Vol. 1: *Prolegomena*. Tübingen: Mohr, 1979, p. 256.

A cruz é o julgamento sobre todos os outros deuses e poderes, que pretendiam se adornar com a aura da divindade e oferecer salvação – todos eles desaparecem como sombras e espectros noturnos quando são afugentados pela luz da fé. Portanto, posso me permitir todas as dúvidas, toda "crítica à religião", toda a verdade do ateísmo crítico, a verdade sobre "a religião" como invenção humana, como projeção de nossos temores e desejos – como afirma Karl Barth, que retoma aqui os pensamentos de Lutero. *A fé* que se abre para a Palavra de Deus, que se dirige a nós e nos salva em Jesus e em sua cruz, é, segundo ele, diametralmente oposta a uma *religião*, que (em vão, blasfema e tolamente) pretende subir a Deus pela escada das próprias construções teológicas, fantasias pias ou outros méritos intelectuais ou morais.

É provável que a teologia católica jamais compartilhará completamente do *pathos* desses *sola* protestantes passionais – *sola* = "somente" (*somente* por fé, *somente* pela graça, *somente* as Escrituras, *somente* na cruz); o princípio católico é o "tanto [...] quanto" (tanto nas Escrituras quanto na tradição, tanto na graça quanto na liberdade da consciência e da vontade, tanto na cruz quanto na criação Deus se manifesta ao homem). Mas se a teologia cristã quiser ser verdadeiramente *católica* (i. e., geral, universal, que diz respeito a tudo), se ela realmente quiser fazer jus ao princípio da compatibilidade das aparentes contradições ("tanto [...] quanto"), ela não pode ter medo desses tons dramáticos, ela não pode se fechar diante deles, ela precisa antes ouvir com cuidado e perceber sua profundeza e verdade. Se contemplássemos Lutero isolado da totalidade da tradição (principalmente daquela da qual ele nasce, i. e., não só de Paulo, mas também de Agostinho e, sobretudo, do misticismo alemão), ele seria realmente perigosamente unilateral; mas se o estudarmos nesse contexto amplo, ele passa a ser não só um grande teólogo, mas também um pregador, poeta e místico da cruz fascinante, muito próximo dos místicos espanhóis do início do Barroco[76].

A "teologia depois da morte de Deus", da década de 1960, era, de certa forma, principalmente uma radicalização da teologia da cruz de Lutero, ou melhor, do motivo do "paradoxo da cruz", que ocorre em Paulo e Tertuliano, e também em Pascal e Kierkegaard. Nietzsche era – como observou Dietrich von Hildebrand – de certa forma um "pregador radicalmente protestante", e nós podemos interpretar sua declaração "Deus está morto" como emanação da "teologia negativa" de Eckhart, dos místicos alemães e da "teologia da cruz" de Lutero. Ou seja, essa "teologia depois da morte de Deus" pode ser vista como uma criança nascida no tempo errado; ela veio tarde demais para aceitar o desafio que Nietzsche havia lançado ao cristianismo; e cedo demais para poder resistir aos desafios da nossa era, na qual um secularismo radical se mistura com a inflação de uma religiosidade e um esoterismo impertinente e barato[77].

Sim, apenas agora a Europa volta a tocar o mistério do Sábado de Aleluia em sua profundeza: na superfície, no "espaço público" (*naked public space*), os inquisidores da *political correctness* impõem um silêncio total sobre Deus (*magnum silentium est in terra*, lemos

---

76. Sobre as semelhanças surpreendentes de muitos motivos nas biografias, nas personalidades e nos motivos teológico-espirituais de Lutero e Teresa de Ávila, cf., p. ex., HERBSTRITH, W. (org.). *Teresa von Avila* – Martin Luther. Grosse Gestalten kirchlicher Reform. Munique: Kaffke, 1983 [Reihe Edith-Stein--Karmel Tübingen, 12].

77. Alguns motivos da "teologia depois da morte de Deus" são desenvolvidos – justamente nesse novo contexto – pela teologia pós-moderna (que me é muito querida), que acata as características da "teologia apofática" do Derrida tardio. Faz parte disso também a tentativa provocante e inspiradora de Gianni Vattimo de compreender a sociedade secular como "tempo do Espírito Santo"; e o pensamento não metafísico ("fraco"), como analogia da *kenosis* zu Filho divino na cruz (VATTIMO, G. *Jenseits des Christentums* – Gibt es eine Welt ohne Gott? Munique: Hanser, 2005, p. 29).

na liturgia das horas do Sábado de Aleluia). Nas "profundezas", porém, é travada a guerra pelo essencial (*mors et vita duello*).

Em alguns autores, a afirmação "Deus está morto" parece ser apenas uma versão mais radical do pensamento da inacessibilidade de Deus (e de sua ocultação na cruz de Cristo), expressado anteriormente por Lutero e alguns místicos. Outros, porém, vão mais longe: Deus tomou sobre si a existência humana, se solidarizou e se identificou com a humanidade, "esvaziou-se a si mesmo" ao ponto de realmente morrer na cruz de Cristo – e agora Ele está presente aqui apenas na figura da humanidade e de sua história, como alega o teólogo norte-americano Thomas Altizer.

Alguns representantes da "teologia depois da morte de Deus" sugerem – claramente nos passos de Lutero – substituir a velha fórmula "Jesus é Deus" por uma outra: "Deus é Jesus" – Deus está conosco em Jesus e na "existência humana para outros", a exemplo de Jesus. Se "Deus partiu" (como lemos numa série de parábolas de Jesus), Ele deixou aqui um "representante", o Filho, que realiza a sua obra, *que executa seu papel* e assume seus negócios: Ele consola aqueles que não entendem Deus, Ele alimenta aqueles que Deus fez passar fome, escreve Dorothee Sölle. E esse representante chama seus representantes para seu serviço como "testemunhas da verdade" – nós.

Lembremo-nos do teatro dramático muito discutido de Rolf Hochhuth, *Der Stellvertreter* (O representante), cujo herói é um jesuíta que, no tempo da Segunda Guerra Mundial, em protesto contra o silêncio do papa ("o representante de Cristo") diante da perseguição nacional-socialista, voluntariamente passa a usar a estrela de Davi e é internado num campo de concentração como "representante" do representante oficial de Cristo, transformando-se assim em verdadeiro "representante de Cristo"[78].

---

78. No entanto, preciso acrescentar aqui que a peça de Hochhuth é vista mais como instrumento da propaganda anticlerical da Alemanha Oriental da época – na verdade, como mostram pesquisas históricas mais recentes, o Papa Pio XII foi muito menos passivo diante do sofrimento dos judeus durante a Segunda Guerra Mundial do que sugerem essa peça teatral e publicações semelhantes.

Uma interpretação da declaração "Deus está morto" ou "Deus morreu" alega que essa sentença expressa a experiência segundo a qual o discurso tradicional sobre Deus – até mesmo a própria palavra – teria perdido qualquer sentido. Talvez possamos redescobri-lo – mas apenas olhando para Cristo. A antiga fala sobre Deus se tornou incompreensível e implausível: Ela não conseguiu nem mesmo motivar-nos em face da violência, mentira e hipocrisia para despertar a consciência em medida suficiente. Em vez disso, nós a usamos para nos tranquilizar e entorpecer, quando deveríamos ter nos inquietado e despertado; muitas vezes, nossas palavras perderam o forte gosto do sal e assim perderam qualquer valor. Por isso, "Deus morreu" – na língua dos nossos contemporâneos; "nós o matamos" quando esvaziamos seu nome e o tornamos inconfiável, quando o estampamos em nossos estandartes de guerra, quando o usamos como artefato nos discursos da propaganda política com seus próprios interesses de poder, quando o jogamos na lama dos panfletos de "demonstrações" forçadas e dos barris cheios de lixo hipócrita e de frases sentimentais.

O único lugar em que a Palavra de Deus esquecida, ferida e agora temerosa pode recuperar algum sentido é a história de Jesus. Mesmo que o mundo inteiro se encontre à sombra da "morte de Deus", existe lá o único lugar em que Deus pode ser vivenciado como vivo: em Cristo, em Jesus de Nazaré. Tudo que nós "sabíamos" e dizíamos sobre Deus, pode e deve morrer – não conhecemos Deus, senão naquilo que se dirige a nós em, por meio e com Cristo. O mundo tem um sentido apenas porque Jesus passou por ele, exclama Bonhoeffer nos passos de Paulo e Lutero. Todo o resto me parece lixo, sujeira, escreveu literalmente o Apóstolo Paulo – quero conhecer apenas Cristo e este crucificado[79].

Dirigindo-me aos teólogos mais radicais depois da morte de Cristo – que se concentram tanto na humanidade de Jesus que

79. Cf. Fl 3,8; 1Cor 2,2.

deixam "morrer" toda divindade, Deus Pai e a deidade de Cristo, reduzindo-os à "sigla da humanidade"[80] –, não posso, porém, deixar de levantar uma série de perguntas críticas. Não se transforma um Jesus assim interpretado em objeto de certa idolatria, ele não se torna abstrato e morto demais – isso não faz do Jesus Cristo da tradição cristã, da fé e da piedade apenas um "exemplo de humanidade" qualquer e substituível? Por que, então, deveria justamente ele ser o "representante singular de Deus na Terra"? Se o separássemos do Pai e o despíssemos definitivamente de sua divindade – não sobraria dele apenas uma personalidade extraordinária da história?

A fé cristã confessa – ao contrário da acepção dos humanistas – Jesus Cristo não como personalidade extraordinária, mas como *pessoa* singular – como "Pessoa do Filho". Pessoa é – segundo Tomás de Aquino e muitos outros teólogos da Trindade – sobretudo *um relacionamento*: Jesus vive em seu ser mais profundo, sobretudo no relacionamento e por meio do relacionamento, Ele *é* o relacionamento com o Pai e é, ao mesmo tempo, o relacionamento conosco. Aparentemente era isso que o dogma de Calcedônia pretendia expressar com sua doutrina das "duas naturezas". Se não quisermos olhar para Jesus com os olhos dos historiadores (pois estes realmente não têm muito a nos dizer), mas com o olhar teológico, só poderemos compreendê-lo no contexto da Trindade – em seu relacionamento com o Pai e em seu relacionamento com o Espírito, *no qual* Ele está presente também em nós. Jesus certamente pisou no abismo da separação humana de Deus e assim – como que do outro lado – Ele "experimentou a morte de Deus". Mas Ele não permanece

80. Penso aqui na passagem já citada de Thomas Altizer: "Existia um Deus. Mas este Deus morreu desde a morte de Jesus. Agora, Ele é idêntico com a humanidade ou com a história da humanidade" (FRIES, H. *Abschied von Gott?* – Eine Herausforderung; Versuch einer Antwort. Friburgo i. Br.: Herder, 1971, p. 64).

"órfão" – e também *não nos deixa para trás como órfãos*[81]. É este o conteúdo da mensagem da Ressurreição.

Não refletiria, no fim das contas, o próprio ateísmo aquele "vazio do santuário central", exposto pela cortina rasgada, e aquele abandono total de Deus, que Jesus vivenciou na cruz, mais ainda do que a obra dos "teólogos depois da morte de Deus"? Em uma série de textos tentei, num espírito semelhante – muitas vezes com referências aos místicos, sobretudo a Teresa de Lisieux – falar sobre o "ateísmo da dor" como participação misteriosa nesse momento da Sexta-feira Santa.

Devo deixar algo bem claro desde o início: quando falo aqui sobre o ateísmo, é evidente que tenho em mente o ateísmo como *sistema intelectual* e como posição intelectual específica; não falo sobre *pessoas* que simplesmente não compartilham da nossa fé – essas pessoas e as razões que têm para isso eram, são e serão muitas, e jamais eu me permitiria julgá-las de forma generalizada. Quando falo sobre os tipos de ateísmo, compreendo esses tipos como "tipos ideais" no sentido de Max Weber; como modelos específicos de pensamento, aos quais nada corresponde perfeitamente na realidade. Cada ateu tem seu estilo de ateísmo, assim como cada cristão tem seu estilo de fé; por trás das declarações literais, que podem ser uniformes, costuma se esconder em cada pessoa individual (contanto que seja um ser que pensa e sente e não repita apenas frases adotadas) uma diversidade infinita de pensamentos, concepções, imaginações, conhecimentos e experiências que nós não vemos (e os quais nem ela mesma consegue compreender em sua totalidade).

As concepções, os sentimentos e os argumentos dos ateus há muito não são mais algo do qual os cristãos devem ou precisam ter

81. Cf. Jo 14,18.

medo. Certos motivos da "teologia depois da morte de Deus" e da "teologia da cruz" permitem transformar um tipo determinado de ateísmo (a crítica à religião) em um aliado da teologia. A chama da crítica ateísta ajuda a teologia a resolver trabalhos preparativos importantes, a "limpar" os campos, para derrubar os ídolos e afastar concepções primitivas demais e, às vezes, realmente destrutivas sobre Deus. *Cum grano salis* podemos dizer que, assim, a *crítica* ateísta pode se tornar uma "serva da teologia contemporânea", mesmo que em outro sentido do que a metafísica entendia a teologia medieval como sua *ancilla* (serva).

No entanto, o ateísmo – como chama – pode ser "um bom servo, mas um péssimo senhor". O filósofo pós-moderno Peter Sloterdijk, por exemplo, observa que o ateísmo e o materialismo foram interessantes enquanto eram críticos da religião, da teologia e da metafísica, mas que se tornam embaraçosos quando se separam destas e desenvolvem, como que a partir de si mesmos, um sistema pseudometafísico (como, p. ex., o "ateísmo científico" como "disciplina científica" no contexto da doutrina do estado marxista-leninista nos países socialistas).

Enquanto sobreviverem concepções de Deus como objeto, como ser em meio aos entes, como "ser" ao modo dos seres criados, sobre o qual podemos discutir se Ele "existe" ou "não existe", o teólogo precisa receber de braços abertos qualquer ateísmo que ajude a destruir esses tipos de concepções, pois *Deus realmente não é assim*. Quando alguém descreve Deus como "ser sobrenatural" em algum lugar nos bastidores da realidade, podemos tranquilamente lançar essa concepção no forno da crítica ateísta. O Deus em que cremos não se encontra "por trás da realidade", Ele é, antes, a profundeza da realidade, seu mistério, Ele é a "realidade da realidade". Quando aplicamos a Ele a metáfora da "pessoa", nós o fazemos não porque reconhecemos nele algum tipo de ser criado, mas porque desejamos expressar duas coisas com isso. Em primeiro lugar, que podemos *nos dirigir a Ele e que Ele se dirige a nós* (nós podemos falar com

Ele na oração, e Ele fala conosco por meio da totalidade da vida e da realidade). Em segundo lugar, que *Ele se encontra em relacionamento em sua essência mais profunda*. Cremos no Deus que vive na comunhão da Trindade – ou seja, que Ele é Pai em seu relacionamento com o Filho e que, por meio do Filho e do Espírito, Ele está em relacionamento com os seres humanos. O cristianismo alega que Deus não é Deus sem relacionamento e além do relacionamento com os seres humanos, e que o ser humano não é plenamente humano sem relacionamento e além do relacionamento com Deus (e que ele se encontra nesse relacionamento com Deus mesmo quando não está ciente desse relacionamento, quando "não crê nele", quando não o chama pelo nome que os cristãos lhe dão). Deus tem sua história também com cada "ateu".

Se o ateísmo realmente quiser ser um ateísmo consequente e despir o ser humano de seu relacionamento essencial com o fundamento e a profundeza da realidade, com a realidade e o mistério também de sua própria vida; se ele quiser despi-lo daquilo que transcende o ser humano de forma radical (ou seja, daquilo que a fé chama de "Deus"), ele produziria um ser humano "morto", totalmente abstrato e irreal. O ser humano, totalmente esvaziado no relacionamento com o transcendente, (graças a Deus) *não existe de facto*. Trata-se do mesmo pensamento como "o Deus nos bastidores" da realidade, do mundo e da história.

Um ateísmo consequente, que "perdesse Deus de vista", *perderia de vista também o ser humano*[82].

Nos meados da década de 1990, quando o Vaticano dissolveu o Pontifício Conselho para o Diálogo com os não crentes (pois,

---

82. De forma semelhante, mas em outro contexto, H. Fries (Ibid., p. 106) cita Herbert Braun: "O ateu perde de vista o ser humano".

aparentemente, já o considerava supérfluo), eu achei que se tratava de um gesto apressado e inapropriadamente triunfalista, muito provavelmente provocado pela queda inesperada e rápida dos sistemas políticos na Europa Oriental, que se sentiam obrigados a seguir um ateísmo estatal. Hoje, porém, percebo cada vez mais que o ateísmo clássico perdeu seu fundamento e seu impulso, porque a teologia contemporânea compreendeu que realmente não é mais possível trabalhar apenas com os modelos da metafísica clássica e levou a sério a crítica justa dos ateus contra determinadas formas de religião. A espiritualidade cristã passou a compreender a fé como *caminho*, do qual fazem parte também as “noites escuras” da fé. Eu também me afastei do estudo do ateísmo para me aproximar do diálogo com as religiões não cristãs e com o pensamento filosófico contemporâneo, onde acredito poder encontrar impulsos mais vitais e ricos. Um sucessor do ateísmo iluminado é o secularismo radical, que exerce uma influência enorme sobre a vida pública. Este, porém, representa mais um problema político e psicológico; em termos intelectuais, essa laia do liberalismo não oferece nada de interessante para a crítica teológica e filosófica. Da mesma forma, a briga atual entre os criacionistas e os neodarwinianos me lembra muito a tragicomédia da briga entre cegos e surdos, e lamento que nenhum dos dois lados aprendeu a *pensar filosoficamente*. Tenho pena dos fundamentalistas bíblicos, porque se agarram à interpretação superficial, “literal” do texto bíblico e por isso não conseguem reconhecer a profundeza real e a riqueza de seus significados. E se, do outro lado, eu computar tudo aquilo que aqueles que não querem acreditar na criação e no Criador *são obrigados a acreditar*, quando vejo como eles se retorcem para equipar o acaso e a seleção natural com características e atributos divinos da providência, a “hipótese” da criação me parece muito mais sensata, lógica e natural.

Tanto o Deus previsível dos criacionistas fundamentalistas, que em seis dias completa sua obra quanto o acaso cego deificado, que põe de lado cedo demais as perguntas curiosas sobre um sentido mais profundo desse processo, representam para mim dois objetos nada atraentes para a fé e a adoração. Não entendo por que a biologia evolucionista e todo o racionalismo científico crítico, contanto que sejam *capazes de serem críticos também em relação a si mesmos* e de refletirem sobre seus limites, queiram – após a superação de conflitos infelizes no passado – voltar a entrar em conflito com a veneração religiosa *do mistério último da existência*. Não entendo isso, porque a hermenêutica teológica atual fala na forma de uma interpretação inteligente daquele mistério e justamente não tenta encontrar uma "prova" que, no fim das contas, esvaziaria e desvalorizaria o próprio mistério.

Respeito muito o ateísmo da dor ("não consigo crer, mesmo se quisesse, por causa de toda a dor que existe no mundo"), o ateísmo do protesto e da luta com Deus (desde Jó até Nietzsche), "o ateísmo (ou melhor, antagonismo) do receio" (que se recusa à linguagem da religião porque hesita em designar de qualquer forma o mistério último da vida). Consigo vê-los não só como "servos", mas como parceiros na fé e na teologia. No entanto, preciso confessar: todas essas variações interessantes do ateísmo só eram realmente interessantes em sua relação tensional com determinados tipos de fé. O ateísmo não era apenas interessante, mas também útil e talvez até necessário em sua forma crítica *como adversário de determinados tipos de religião*. Ele é e deve ser usado enquanto (mas apenas enquanto) aquele tipo de religião (p. ex., uma religião vinculada ao poder) for relevante. Mas será que o ateísmo é capaz de não só derrubar e destruir, mas também de construir algo valioso *a partir de si mesmo*?

Quando seu adversário se cansa – pelo menos do mundo ocidental esclarecido –, o ateísmo solitário (e por isso cada vez mais embrutecido) precisa ou imaginar um novo oponente (nisso ele se parece com seu irmão gêmeo, o fundamentalismo religioso) ou se transformar aos poucos em uma pseudorreligião – copiando então desde cedo os erros (e às vezes também os crimes) do tipo de religião que ele tanto combateu. Evidentemente foi isso que aconteceu com o jacobinismo e bolchevismo. Perguntamo-nos então como esses esforços se desenvolverão, cujos protagonistas tentam hoje em muitos lugares avançar a descristianização radical da sociedade ocidental de hoje.

No Natal, quando os inquisidores do politicamente correto de hoje, movidos por uma preocupação hipócrita, ordenam que o presépio seja removido da praça de alguma cidade inglesa ou norte-americana, para não magoar os sentimentos dos muçulmanos ou de outras minorias, pelo menos os comerciantes muçulmanos ainda têm a coragem de expor o presépio em suas vitrines. Pois a veneração de Jesus – de cujo nascimento da Virgem Maria, o Corão fala com profundo respeito – na verdade não os magoa em nada; mas a nossa autocastração espiritual, submissa para fora e agressiva para dentro, provoca nojo em muitos muçulmanos.

De onde provém esse medo da sociedade pós-cristã diante da cruz e de outros símbolos da fé cristã, se há muito deixaram de ser símbolos do poder, que ameaçavam a liberdade? Os fundamentalistas cristãos, maravilhosamente mantidos vivos justamente por esse fanatismo do extremo fundamentalismo secular, reconhecem nesses esforços sombrias conspirações de sociedades secretas (da maçonaria e, recentemente, do movimento da Nova Era, que surgem principalmente nos textos dos "carismáticos"). Temo, porém, que as raízes desses esforços são ainda muito mais profundas do que aquelas teorias paranoicas sobre uma conspiração generalizada reconhecem – ou seja, estão arraigados em determinados abismos do coração humano ainda não alcançados pelo poder libertador do Crucificado, sobre cuja passagem pelo reino da escuridão a Igreja reflete no Sábado de Aleluia.

Em face do nacional-socialismo emergente, C.G. Jung disse que, aparentemente, grandes partes da Europa não haviam sido cristianizadas suficientemente, como se a água do batismo tivesse respingado da pele de determinados grupos, caso contrário seria inexplicável como as correntes da antiga barbárie podiam ressurgir das profundezas do "inconsciente coletivo". E será que, desde então, ocorreu alguma transformação real? Não deveríamos compreender de forma diferente aquele chamado de João Paulo II para a "reevangelização da Europa", ridicularizado por seus adversários como sonho romântico de uma reconquista e desacreditada por alguns de seus adeptos como incentivo para a agitação religiosa ao estilo das seitas de reavivamento? Não deveríamos entendê-lo como incentivo para levar – de forma realmente nova, talvez mais silenciosa e lenta, mas muito mais profunda – o poder terapêutico do Evangelho para o coração da nossa cultura, também para seus "lugares mais sombrios"?

Em um de meus livros anteriores, eu já refleti sobre a pergunta se não deveríamos falar apenas sobre a *creatio continua* (ou seja, sobre a obra da criação, que avança e se desenvolve continuamente), mas também sobre a *ressurrectio continua*. Ou seja, sobre a ressurreição como ato, que, na perspectiva de Deus, já foi vitoriosa e completada definitivamente, mas que, na nossa perspectiva humana histórica, é continuada nas profundezas da história e dos corações humanos. E se a nossa missão é levar a mensagem da vitória de Cristo até os confins do mundo, não deveríamos nos esforçar também a levar essa mensagem pacientemente até aqueles cantos isolados da nossa natureza humana e da nossa cultura, inalcançados pela luz, em vez de fazer barulho evangelizando nas ruas?

Talvez não tenhamos compreendido ainda plenamente a oportunidade maravilhosa que se oferece em nosso tempo, no qual o cristianismo está desaparecendo da nossa cultura como quadro de referência natural, como "a religião", ou seja, como questão da tradição, autoridade, comunhão, como bem tradicional. Ao longo de muitos séculos, quando o cristianismo ainda definia a sociedade europeia, ele nos trouxe muitas coisas boas em termos sociais e culturais, mesmo assim, tudo indica que milhões de cristãos foram privados de algo essencial à fé cristã, ou seja, da experiência da conversão, da *metanoia*: conversão não no sentido de uma transição da descrença para a fé ou no sentido da passagem de uma confissão para outra, mas no sentido de *uma transformação da vida*, incentivada incessantemente por Jesus de Nazaré (nos passos dos profetas).

Sabemos das biografias dos santos (basta lembrar Agostinho, Francisco de Assis, Inácio de Loyola, Teresa de Ávila e inúmeros outros) que eles realmente experimentaram essa conversão – para eles na maioria das vezes uma virada inesperada e surpreendente (a despeito de toda educação religiosa que haviam recebido e em meio a uma "sociedade cristã") – e esse tipo de experiência certamente não foi exclusivo àqueles que a Igreja beatificou ou canonizou. Mesmo assim, quando analisamos cuidadosamente a história, não podemos negar a suspeita de que em milhões de pessoas boas que professaram e praticaram a *religião cristã* (na maioria das vezes, certamente de forma sincera e não hipócrita) a tranquilidade dessa religião, desse sistema de regras provadas, desses rituais e costumes, jamais foi perturbada pelo *nascimento da fé* como uma resposta voluntária e pessoal a um chamado divino pessoal.

Talvez possamos identificar aqui aquele déficit, aquele deserto conquistado com tanta rapidez e facilidade pelas "sirenes do mundo". Talvez existam nessas profundezas feridas infeccionadas que não podemos curar por meio dos tambores e trompetes de uma missão no espírito do triunfalismo cristão ("Estamos lhes trazendo a verdade, que nos pertence; juntem-se a nós e vocês serão salvos"), mas apenas por meio do poder das feridas de Cristo, que descobrimos dentro de nós quando somos atingidos pelo chamado de Cristo para a conversão, entendida aqui como profunda *transformação da vida*.

Talvez os cristãos devessem, em vez de procurar obcecadamente pelos agentes mascarados dos poderes sombrios, que pretendem solapar a "nossa religião" (*the good old religion*) com suas maquinações – talvez eles devessem se esforçar para que as formas antiquadas do cristianismo em nossa cultura e sociedade sejam perturbadas "pelo poder subversivo" do Evangelho.

No fim de sua vida, em seu último livro, Jan Patočka descreve a fé cristã como *abertura*, como "um abrir-se para as profundezas da existência divina e da existência humana"; ele escreve: "Contanto que exista um fundo nessa profundeza abismal da alma, o cristianismo é, até agora, a conjetura maior e insuperada, *mesmo que ainda não levada a cabo*, que jamais capacitou o ser humano para a luta contra a decomposição"[83]. Será que, em algum lugar próximo daqueles mistérios que acabamos de tocar, não se abre o caminho para "levar a cabo" o cristianismo nesse sentido?

83. PATOČKA, J. *Ketzerische Essays zur Philosophie der Geschichte* – Mit Texten von Paul Ricoeur und Jacques Derrida, sowie einem Nachwort von Hans Rainer Sepp. Berlim: Suhrkamp, 2010, p. 116s. [Original: *Kacířské eseje o filozofii dějin*. Praga: Academia, 1990] [grifo de T.H.].

5
O Deus dançante

Richard Kearney lembra que um dos conceitos-chave da antiga teologia da Trindade, a *perichoresis* (a penetração e dependência mútua das pessoas da Trindade divina), está vinculado ao conceito da *dança*. Ele lembra as representações dos primórdios do cristianismo em que a Trindade aparece como *círculo* e acrescenta a concepção um tanto bem-humorada da vida interna da Trindade como dança, na qual o Pai, o Filho e o Espírito dão preferência uns aos outros[84].

Essa visão realmente incomum provocou em mim imediatamente duas associações: a dança dos dervixes, à qual, no ano passado, tive o privilégio de assistir em Konya, na Turquia, por ocasião das celebrações em homenagem ao místico muçulmano Rumi (Maulana), uma representação física do amor dinâmico de Deus extraída do tesouro do misticismo sufista, e, em segundo lugar, a sentença de Nietzsche, segundo a qual ele "só acreditaria num Deus que soubesse dançar"[85]. Para Nietzsche, a dança divina é o símbolo da leveza divina, *da liberdade* e da alegria, o símbolo oposto ao "espírito do peso" e ao "espírito da vingança", aos ressentimentos e ao

---

84. Cf. KEARNEY, R. *The God Who May Be* [A primeira parte da conversa com David Caley na rádio canadense CBC, de 15/12/2006].

85. NIETZSCHE, F. *Assim falava Zaratustra*, cap. 18, "Ler e escrever" [KSA, ZA I, p. 49].

moralismo tosco. Segundo Nietzsche, estes permeavam a fé cristã e, principalmente, sua moral.

Será que Jesus – e o Deus Triuno, que nele se revela – pode ser *um Deus que dança*? O "não" instintivo, que esse pensamento evoca em nós num primeiro instante, é, porém, mais uma prova da domesticação do nosso poder imaginativo pelas representações um tanto tristes de Cristo em nossas igrejas. Alguns dos documentos preciosos, preservados até hoje, da piedade de algumas congregações do cristianismo primordial, os evangelhos apócrifos, descrevem sem qualquer vacilo como *Jesus dançava com seus discípulos* (não temos qualquer razão para acreditar que essa imagem seja menos autêntica do que muitas lembranças preservadas pelos evangelhos canônicos). Algumas interpretações, sobretudo as representações bizantinas do Crucificado, nas quais o corpo de Jesus se apresenta numa forma extraordinariamente dinâmica, alegam até que essa representação pretende mostrar a unidade joanina da cruz e da ressurreição, a humilhação e a exaltação, e que ela precisa ser vista como ilustração da palavra dos Salmos: *Converteste meu luto em dança*. E também o Jesus Ressurreto, *que atravessa a porta trancada* (naquela mesma cena do encontro com Tomé) transmite algo da leveza da dança e da liberdade (talvez possamos dizer até: da descontração) que Nietzsche ansiava – cansado daquele Deus que é ou uma projeção do desejo não admitido de vingança ou um velho impotente, que, em sua "compaixão com o ser humano", morre sem fazer nada.

Não, não pretendemos aqui conformar "Deus" a uma imagem que possa agradar a Nietzsche ou aos seus adeptos. Queremos antes entender por que a visão do Ressurreto provocou aquele êxtase alegre em Tomé, que resultou na confissão: "Meu Senhor e meu Deus" – e ao mesmo tempo pretendemos perguntar timidamente se, e como, nós poderíamos participar dessa alegria pascal.

Pois não é justamente essa alegria e liberdade a "pedra angular" da fé cristã, sobre a qual tropeçam todas as pessoas ímpias, melancólicas, pesadas e tristes, presas dentro de si mesmas e amarradas ao "espírito do peso"? Não precisamos nós daquele "espírito das crianças", do qual Jesus falou quando prometeu o Reino de Deus àqueles humildes e corajosos o suficiente para "nascer mais uma vez", para tornar-se criança mais uma vez, para termos acesso a esse palco de dança da liberdade pascal?[86] E será que Nietzsche não provou um pouco daquele mistério, quando, no capítulo "Das Três Transformações", atribui a Zaratustra a profecia segundo a qual o espírito ascético com o fardo dos mandamentos e das proibições, o *camelo* com os joelhos feridos, precisa se transformar, não em *leão* do livre-arbítrio ou em soberano do poder, mas em criança livre também de si mesma?[87]

Se nós estivéssemos na posição do Apóstolo Tomé, o que nos impediria de entrar na luz daquela liberdade pascal e de repetir sua confissão com alegria? Onde se encontram as nossas "portas trancadas", com as quais negamos acesso ao mistério da ressurreição?

Talvez não estejamos livres de todas as perguntas, cujo ceticismo pesado (herdado do materialismo dos séculos passados e de sua concepção limitada da realidade) muitas vezes projetamos sobre as dúvidas de Tomé: O que foi que "realmente" aconteceu na Ressurreição?

Em sua "suma teológica" profunda e original[88], o teólogo polonês Tomasz Weclawski fez uma observação importante: Aqueles que fazem perguntas do tipo "O que aconteceu de fato no corpo de Jesus, que se encontrava no túmulo?" ou "O que (ou quem) vi-

---

86. Cf. Mc 10,15; Jo 3,7.

87. Cf. NIETZSCHE, F. *Assim falava Zaratustra*. "Das Três Transformações" [KSA 4, ZA I, p. 29s.].

88. WECLAWSKI, T. *Królowanie Boga*: Dwa objaslÿnienia wyznania wiary Koslÿciola. Posen: Uniwersytet im. Adama Mickiewicza, Wydz. Teologiczny, 2003, p. 139.

ram realmente aqueles que alegam ter visto o Jesus Ressurreto da morte?" revelam que caíram vítimas de um equívoco profundo. Pois essas perguntas também são testemunho do fato de que essas pessoas já *suspeitam de antemão* o que é a "ressurreição dos mortos", se aquilo que elas mesmas vinculam a essa palavra corresponde àquilo que o texto diz sobre Jesus; querem também se assegurar de que as testemunhas desses eventos viram e experimentaram *de facto* aquilo que, segundo suas concepções, elas deveriam ou poderiam ter visto e experimentado.

Mas se pensarmos de forma verdadeiramente teológica, *sabemos que não sabemos* o que significa a metáfora da "ressurreição dos mortos", da mesma forma como *nós* – o que Tomás de Aquino nunca se cansou de ressaltar – não sabemos quem é Deus "na realidade" (como é "Deus em si"). Deus e a ressurreição são *mistérios radicais*, que transcendem o horizonte e as possibilidades daquilo que nossa experiência, nossa língua, nossa lógica e nossa imaginação podem compreender. Não podemos compreendê-los com nossas próprias faculdades e não podemos dispor deles como que de um objeto *do conhecimento* – podemos referir-nos a eles apenas na fé e na esperança e ouvir em que medida esses mistérios (talvez) nos digam algo. Sabemos no máximo que dependemos desses mistérios em nosso ser mais profundo e que seríamos altamente tolos (mesmo que humanos) se lhes voltássemos às costas só porque estão "velados pela nuvem".

Voltemos para Weclawski: "Deus é invisível para nós, assim como é invisível também o futuro. O futuro nos espera e se aproxima continuamente de nós, mas Ele – na medida em que permanece futuro – não pode ser observado. Podemos ver o futuro apenas quando se transforma em nosso presente – apenas em nós e em nossa história. Deus também só se torna visível quando se transforma em presente humano. Mas mesmo nesse caso ele não se torna visível como Deus, mas apenas como ser humano e como uma história humana – na vida, na morte, na ressurreição de Jesus Cristo e em tudo que faz parte disso. Também, em Jesus, Deus permanece invisível como Deus – podemos acrescentar aqui: como futuro, na medida em que permanece futuro. Mas aqui termina a analogia: Deus é nosso futuro, mas o futuro não é nosso Deus. Por isso ele não deixa de ser invisível como Deus quando o futuro que se abre em Jesus se transforma em presente visível"[89].

Deus (na forma como Ele é "em si") permanece para sempre um mistério, acessível apenas por meio da fé e da esperança, exposto, portanto, também às dúvidas. Já observamos acima que aquelas sentenças sobre "a morte de Deus" não precisam causar a indignação nem mesmo aos cristãos com uma fé tradicional (e eu mesmo me considero um deles) se elas foram lidas como diagnóstico na medida em que o *mundo* é capaz de se abrir para esse mistério. Contanto que sejam proposições *teológicas* e não só frases vazias, não se trata de afirmações sobre "Deus em si", pois o teólogo sabe que "Deus em si" foge a todas as expressões humanas.

E a ressurreição dos mortos também permanece um mistério do futuro, que se esquiva da nossa experiência, ao qual podemos nos referir apenas por meio da fé e da esperança sem "a corda de segurança" da investigação racional e o qual poderemos "compreender" ou experimentar de verdade apenas quando ultrapassarmos o limiar da morte. Talvez saibamos apenas o que a ressurreição de Cristo *não* é, ou melhor, o que a Escritura evidentemente não pretende expressar com essa palavra. O que ela não quer dizer é – e infelizmente precisamos repetir isso sempre de novo – a "reanimação" ou o "reavivamento" de um cadáver e sua volta para o mundo, que é sujeito ao tempo, ao espaço e à morte ("o Cristo ressuscitado não morre mais, a morte não tem mais poder sobre Ele", afirma explicitamente o Apóstolo Paulo[90]). Mas tampouco pretende ser apenas uma descrição simbólica, como que para dizer que os *pensamentos*

89. Ibid., p. 230-231.

90. Rm 6,9.

de Jesus ou a “causa de Jesus” continuam – devemos levar a sério os relatos dos evangelhos, segundo os quais as testemunhas têm um encontro com uma *pessoa*, e não com uma ideologia.

Não querendo diminuir ou enfraquecer a interpretação impressionante de Weclawski sobre a invisibilidade de Deus e o futuro, preciso apontar para experiências que afirmam que, quando “as centelhas do futuro” (as centelhas de Deus) caem no presente humano, elas – mesmo que não nos capacitem a “ver” e “tocar com nossas próprias mãos” o futuro (e Deus) – elas nos perturbam em nossa inércia daquilo que já conquistamos e reconhecemos no futuro e no presente.

Aparentemente, uma dessas experiências foi também o encontro de Tomé com o Ressurreto: A luz das feridas *transformadas* de Jesus lhe permitiu, mesmo que apenas por um instante, reconhecer Deus por meio do homem, o futuro por meio do presente, o invisível por meio do visível.

Não devemos, porém, entrar dançando rápido demais na luz da confissão de Tomé e em toda a cena do Evangelho! “Quando encontrar Cristo, mate-o!” Essa frase, saindo da boca de um sacerdote católico soa certamente – no mínimo – um pouco incomum, e soou assim também aos meus ouvidos quando a ouvi pela primeira vez. Mas sempre é sensato não julgar de forma apressada. Pois é possível que até mesmo uma pessoa que nunca estudou a filosofia de linguagem de Wittgenstein reconheça seu princípio fundamental segundo o qual o significado real de uma sentença não está na sentença em si, mas em seu contexto, no qual a sentença é dita ou escrita.

O contexto era o seguinte: essa frase me foi dita por um dos maiores conhecedores práticos e teóricos do misticismo e da meditação oriental e ocidental entre os cristãos do século XX, o jesuíta e mestre zen Enomiya-Lassalle, que trabalhou no Japão durante décadas, durante um *dokusan* – a conversa pessoal, com a qual um aluno da meditação zen pode interromper o silêncio uma vez por dia para fazer perguntas concretas ao mestre. Quando lhe confessei que repetia o nome de Jesus durante a meditação para me concentrar melhor, ele me disse que isso era uma forma do "zen herético". O zen verdadeiro – quando praticado de forma autêntica segundo o ensinamento dos antigos mestres, independentemente de você ser budista, cristão, judeu ou ateu – visava ao esvaziamento total de sentido de todas as concepções, imagens, palavras e nomes – também dos mais sagrados. (Nós já não tocamos esse mesmo mistério da dialética entre vazio e abundância, quando meditamos sobre o mistério do coração traspassado de Cristo, do santuário central vazio do Templo de Jerusalém, da cortina rasgada, da "morte de Deus" e do Deus que se retrai no misticismo da cabala, na tradição apofática, na teologia da cruz luterana, na "teologia depois da morte de Deus" e nos exegetas pós-modernos da secularidade como autoesvaziamento de Deus?) Os mestres budistas do zen alertaram seus alunos budistas às "concepções pias": "Quando você encontrar Buda, mate-o!" Por que, então, um mestre zen cristão não poderia dizer ao seu aluno cristão: "Quando encontrar Cristo, mate-o!"?

Essas palavras, que, para muitos cristãos, certamente são uma blasfêmia, foram-me explicadas mais tarde (de forma um pouco menos crítica do que a do "koan") por outro mestre de meditação: Na contemplação não colocamos nem Deus nem seu Filho Unigênito como *objeto* da meditação *diante de nós*, antes procuramos experimentar o que significa – segundo as palavras do Apóstolo Paulo – "estar em Cristo", ou seja, experimentar que *já não sou eu quem vive, mas Cristo que vive em mim*[91].

---

91. Cf. Gl 2,20.

Trata-se aqui então apenas do pensamento expressado de outra forma pelo Apóstolo Paulo, que enfatizou que não queria conhecer *Jesus segundo a carne*, "à maneira externa da carne", mas no espírito, "segundo o espírito", à maneira interior do espírito. Paulo certamente defendeu aqui também sua própria abordagem ao mistério de Cristo; pois ele não conheceu (ao contrário dos outros apóstolos) o "Jesus histórico" (e, para ser sincero, em sua teologia ele demonstrou pouco interesse por Ele e a história de sua vida – com exceção dos eventos pascais). O que o transformou foi a *visão chocante do Ressurreto* quando ele estava a caminho de Damasco, mas também o testemunho dos discípulos (inclusive o martírio de Estêvão, que antecedeu a conversão de Paulo), e suas meditações nos desertos da Arábia, onde, provavelmente, ele amadureceu os fundamentos de sua teologia.

É, portanto, necessário, procurar no contexto da história do Evangelho o sentido mais profundo do encontro do Apóstolo Tomé com o Ressurreto, sobre o qual estamos meditando neste livro. O encontro ocorre naquele "intervalo" entre a Páscoa e a Ascensão, no tempo em que os seguidores de Cristo se preparam para não vê-lo, conhecê-lo e tocá-lo mais como "Cristo segundo a carne", mas no *espírito*. Conhecer Cristo "segundo o espírito" e habitar nele significa "possuir o espírito de Cristo"[92]; e mais: significa – e aqui se encontram as fontes de Paulo e João em seu misticismo – estar unidos por meio do espírito, por meio do laço vivo da unidade entre Pai e Filho; significa estar unidos mutuamente, unidos com Cristo e assim estar incluídos no "coração da Trindade".

Esse é o segundo lado da Páscoa, o polo oposto àquele "esvaziamento" (*kenosis*) da Sexta-feira Santa e do Sábado de Aleluia, e esses dois lados são inseparáveis como a inspiração e a expiração, como a sístole e a diástole (para usar a imagem predileta do ateu

92. Cf. Rm 8,9.

obstinado Feuerbach em seu sentido inverso daquele que ele usou em relação ao relacionamento do ser humano com Deus[93]).

O caminho pelo qual Tomé encontra Cristo não consiste apenas da cena do encontro, é ao mesmo tempo o caminho em direção à despedida, pois Jesus "volta ao seu Pai"[94]. Mas com sua partida cumpre-se aquela hora, cuja vinda iminente Jesus profetizou à samaritana no poço de Jacó, quando disse: Os verdadeiros adoradores não adorarão a Deus nem aqui nem ali, *mas no espírito e na verdade*[95]. Se Ele não tivesse partido de nosso meio, seu Espírito não teria sido enviado a nós[96].

"O Deus que está conosco é o Deus que nos abandona", anotou Dietrich Bonhoeffer na prisão pouco antes de sua execução – e disso concluiu: "Deus nos dá a entender que precisamos viver como pessoas que conseguem lidar com a vida sem Deus"[97].

Precisamos viver sem Deus como apoio *externo*. Com um Deus apenas *externo*, com "Cristo segundo a carne" jamais poderíamos ter conseguido alcançar a liberdade e a alegria dos filhos e das filhas dançantes de Deus. Teríamos nos transformado em caricaturas daquele "espírito das crianças" exigido por Cristo – teríamos permanecido *infantis*, imaturos, pesados, incapazes de assumir responsabilidades. Se alguém lhe oferecer esse Cristo externo, "segundo a carne" – e prepare-se, pois infelizmente você encontrará essa concepção de

---

93. Segundo a teoria de Feuerbach sobre Deus como projeção do "ser humano" sobre o céu, o ser humano se "esvazia" por meio de sua fé, enquanto a negação de Deus lhe permite "inspirar", readquirir a grandeza que lhe foi roubada. Nós preferimos nos ater à teoria paulina sobre a cruz como *kenosis* – no sacrifício de seu Filho, Deus se "esvazia"; segundo os evangelhos, Jesus expirou na cruz – entregou o espírito (*tradidit Spiritum*), para que nós pudéssemos alcançar no mesmo Deus a glória, a grandeza e a liberdade dos filhos de Deus.

94. Cf. Jo 14,28.

95. Cf. Jo 4,24.

96. Cf. Jo 16,7.

97. Registro de 16/07/1644. In: BONHOEFFER, D. *Widerstand und Ergebung*: Briefe und Aufzeichnungen aus der Haft. Munique: Kaiser 1998, p. 177s. [Org. de E. Bethge] [Obras, vol. 8].

Cristo também em nossas igrejas e nas fileiras religiosas –, recuse essa imagem, "mate-a!" Antes procure com o apóstolo o "Cristo segundo o espírito", no qual você pode habitar e amadurecer.

Em Cristo, atravessando a cruz para chegar ao Pai, Deus se despede de nós para abrir para nós um espaço da liberdade e da responsabilidade – o espaço do Espírito, no qual podemos reencontrar Cristo; não mais apenas na superfície, mas na profundeza. Não no quarto particular da piedade retrancada que gira em torno de si mesma (uma interpretação realmente equivocada daquela interioridade do Espírito), mas na profundeza da realidade, dentro da qual fomos colocados e da qual somos parte. Não nos esqueçamos também que um dos presentes proféticos mais valiosos do Espírito é a arte "de saber ler os sinais do tempo", de *compreender o tempo de hoje* como desafio de Deus.

A cena do Evangelho com Tomé termina com a bem-aventurança daqueles *que não viram* – e *mesmo assim* creram. Sim, esse é o caminho para o Cristo "invisível", mas mesmo assim presente; o caminho no qual podemos descobrir sua presença nova e diferente, não mais por meio dos sentidos, tampouco por meio da insensatez das frases pias sem sentido – mas por meio da fé, por meio da esperança e do amor. Trata-se de um caminho do qual podemos esperar que Ele, atravessando todos os auges dramáticos, nos levará para a participação extática na dança divina, no abraço da Trindade.

6
A adoração do Cordeiro

Reza a lenda que, na véspera da Batalha da Ponte de Mílvia, apareceu ao Imperador Romano Constantino o sinal da cruz no céu e ele ouviu a declaração: “Sob este signo vencerás!” Então, ordenou que uma cruz fosse presa aos escudos de suas tropas. Ele venceu seus inimigos e, como sinal de gratidão, concedeu à Igreja, até então perseguida, legitimidade e diversos privilégios. Mais tarde, o cristianismo se tornou a religião oficial do Império Romano.

Não me sai da cabeça a pergunta como a história do cristianismo, da Europa e do mundo teria transcorrido, se o Imperador Constantino tivesse compreendido aquela aparição extraordinária com maior entendimento.

Talvez a Igreja, sem os presentes de Constantino, não teria desenvolvido todo seu potencial cultural; talvez o cristianismo, se não tivesse tido a oportunidade de se expandir tanto no espaço público daquele reino no qual o Sol nunca se punha, não teria conseguido penetrar a sociedade com toda a sua força terapêutica. Ela não poderia ter construído instituições educacionais e sociais e não teria colhido a rica safra do fruto bem-aventurado de sua influência ao longo de milênios. Talvez. No entanto, é possível também que, nessa versão imperial do cristianismo, algo essencial tenha sido esquecido e não desenvolvido – que talvez até tenha sido traído e distorcido.

Levantar a pergunta por aquilo que foi esquecido não é fim em sim mesmo, não é apenas um jogo da imaginação no fundamento inseguro daquele "e se", que, como sabemos, a história não permite. Trata-se da procura ao tesouro que, de vez em quando, alguns cristãos encontraram no campo da história, mas que eles – seguindo o conselho das Escrituras – enterraram novamente, porque nem sempre tiveram a possibilidade de "ir e comprar o campo"[98]. Quando alguns cristãos se cansaram do cristianismo romano oficial, levaram seu tesouro escondido em um êxodo de protesto para – que ironia da história! – a solidão do deserto egípcio, onde fundaram primeiros mosteiros, focos de um "cristianismo alternativo". Em todo caso, justamente para nós hoje – quando no Ocidente os últimos restos da versão constantina do cristianismo implodem (e não estou falando da posição de poder da Igreja, pois esta já caiu no Iluminismo, mas do cristianismo como quadro de referência nacional da nossa civilização) – a busca por aquilo que não foi desenvolvido, que permaneceu enterrado na areia dourada do favor oficial e público, pode ser não só interessante, mas até indispensável para a sobrevivência. Aquilo pode nos ajudar a, dessa vez, construir a casa da fé realmente sobre uma rocha, sobre uma rocha nua, e não sobre a areia brilhante, mas traiçoeira da proteção pelo poder.

Após a "morte de Deus" no espaço público, na linguagem e cultura de hoje, Cristo vem até nós – e nos mostra suas feridas. Ele aponta para a cruz, que deve servir como espelho "aos imperadores", no qual podem reconhecer sua nudez, não para servir-lhes como amuleto mágico, com o qual adornam suas "novas roupas", seus tanques, suas armas e seus estandartes de guerra.

O cristianismo precisa participar da política – mas como contraparte crítica do poder, que cumpre a tarefa importante, mas também

98. Cf. Mt 13,44.

ingrata e perigosa dos profetas: de tirar do poder a aura do sagrado, tão cobiçada por ele, de mostrar-lhe – como Natã mostrou a Davi – que reis também são apenas humanos e que não devem se comportar como deuses. O lugar da cruz é o "espaço público" – mas não como monumento de triunfo majestoso, mas como lembrete das vítimas, que tiveram que pagar um preço alto para cada vitória do poder.

Cristo vem até nós e não esconde suas feridas, antes as mostra – querendo encorajar-nos assim que nos dispamos das nossas armaduras, máscaras e maquiagens, e contemplemos as feridas e cicatrizes que escondemos dos outros e de nós mesmos debaixo das camadas de proteção, e olhemos também para as feridas que causamos em outros.

Albert Speer, o arquiteto principal de Hitler e posteriormente ministro de armamento, explicou à filha depois da guerra: "Você precisa entender que, como arquiteto de 32 anos de idade, eu tinha diante de mim as tarefas mais maravilhosas das quais podia sonhar. Hitler disse à sua mãe que, algum dia, seu pai poderia projetar as construções que não se viam na Terra havia dois mil anos. O homem que recusasse tal oferta precisaria ter sido um grande estoico moral. Mas eu certamente não era este homem". Speer acrescenta que ele desejava ser arquiteto acima de tudo e que, temendo descobrir algo que o desviasse de seu caminho, por isso *fechou os olhos*[99]. Eu vivo e trabalho ao lado de muitas pessoas que, nesse mesmo espírito e pelo mesmo motivo – e por um prato muito menor de cozido de lentilhas – venderam sua alma ao segundo regime totalitário do século XX. O encontro com Cristo é perigoso, pois suas feridas retiram a trava de nossos olhos, Cristo *abre nossos olhos* e nos desvia dos caminhos que, tantas vezes e com tanto prazer, seguimos de "olhos fechados".

---

99. HAUERWAS, S.; BONDI, R. & BURRELL, D.B. *Truthfulness and Tragedy*. Notre Dame: University of Notre Dame 1997. Citado segundo VOLF, M. *Odmítnout nebo obejmout*. Ibid., p. 285.

Neste livro, o leitor não encontrará – e espero que também não as procure – instruções para a cura das feridas do nosso mundo, pois desde sempre desconfiei profundamente de todas as receitas para a salvação. Se essas reflexões possam servir para algo, espero que o incentivem para a "não indiferença", para a *coragem de ver*. Cada ser humano precisa tomar sua própria decisão, decidir por si mesmo se, como e em que medida ele deseja e pode se empenhar concretamente no esforço de curar as feridas humanas. Primeiro, porém, ele precisa ser capaz de reconhecê-las.

Confesso que, em vários momentos na Índia, em Myanmar ou no Egito (onde dezenas de milhares de pobres vivem literalmente nos sepulcros do terrível cemitério no centro de Cairo), eu senti a tentação de *não querer ver*, de fechar os olhos e o coração e fugir o mais rápido possível daquele lugar. Um jesuíta, que há décadas trabalha na Índia, contou-me que, após a sua chegada em Calcutá, durante muito tempo foi tentado por duas reações de fuga imaturas: pela reação infantil – de fechar os olhos, de esconder o rosto em qualquer coisa que pudesse substituir a saia da mãe e de fugir dali; e depois pela "*reação adolescente*" de um revolucionário enfurecido: tomemos nossas armas e destruamos energicamente as condições sociais injustas e aqueles que são responsáveis por elas e se enriquecem com elas! Apenas muitas horas e até mesmo anos de *meditação* lhe deram a força para persistir, para superar a tentação da impaciência e para despertar da ilusão de um caminho rápido para a salvação.

Johann Baptist Metz fala da necessidade "do misticismo dos olhos abertos" – em uma aparente polêmica contra a meditação oriental de olhos fechados. Outro autor cristão se distancia de forma ainda mais clara do budismo: enquanto o budismo ensina como se pode fugir da tristeza e do sofrimento "por meio do desligamento" do eu e por meio da extinção do eu, o cristianismo nos incentiva a amarrar nosso ego aos outros, a pregá-lo à cruz da solidariedade até o derramamento "do sangue e da água" do próprio coração, a *ver* as feridas do mundo e permitir que elas nos firam sempre de novo, a não superar o egoísmo por meio das técnicas da ascese e da meditação, mas a permitir que da oração surja uma ação do amor prático e da ajuda concreta ao próximo. Lembro-me de que eu também só me curei do encanto ocidental pela espiritualidade do Oriente, quando, na Índia, encontrei repetidas vezes hindus confessos que se queixavam da atividade caridosa da Madre Teresa dizendo que essa cristã obstruía o caminho dos infelizes. Estes jamais poderiam pagar pelos pecados de suas vidas passadas e assim conquistar um destino mais feliz na próxima reencarnação.

A esta altura, não pretendo entoar nas polêmicas dos cristãos contra os *yogi* e budistas; tenho debatido com monges budistas (ou seja, não com pessoas que apenas namoram o budismo sem compromisso profundo e, às vezes, de forma um tanto estranha) e passei em mosteiros japoneses não anos, mas o tempo suficiente para ter muito cuidado com julgamentos generalizados. Parece-me que tanto aqueles que se apressam a igualar os caminhos do misticismo oriental e cristão quanto àqueles que os veem apenas em oposição dramática simplificam demais as coisas. Nesses dois mundos espirituais coloridos e amplos, existem tantas escolas diferentes que nos permitem encontrar argumentos em prol tanto de uma quanto de outra posição.

Retomando a narrativa daquele missionário jesuíta, eu acrescentaria até que a meditação não só fortalece a coragem para persistir, mas dela também faz surgir atos que – ao contrário da fuga ou da revolução – podem ter um efeito realmente curador. Basta pensar no efeito de duas pessoas da oração e meditação, cuja atividade persistente realmente mudou o rosto da Índia e de seu espírito em termos qualitativos – apesar de não terem conseguido curar todos os problemas sociais e políticos: Mahatma Gandhi e Madre Teresa de Calcutá!

Certa vez, Hans Urs von Balthasar disse algo memorável: "Aquele que não conheceu o rosto de Deus na contemplação, também não o reconhecerá na ação, muito menos quando Deus olhar para ele com o rosto dos humilhados e sofridos".

Reconhecemos a ação que surge da contemplação em uma característica – sua *não violência*. Essa ação se recusa a jogar "com as cartas distribuídas pelo mal" e assim traz para o nosso mundo uma qualidade verdadeiramente nova.

"A guerra contra o terror", declarada pelo Presidente Bush após o 11 de setembro de 2001, não pôde ser vencida a partir daquele momento em que o presidente recorreu à retórica apocalíptica da Al-Qaeda: o grande satã, o reino do mal e o reino do bem, nós os bons, eles os maus...

Mesmo que o presidente norte-americano não tenha pretendido dizer isso no sentido "literal", mesmo que tenha dito isso apenas com um propósito retórico, que, evidentemente, tem o poder de mobilizar e unir uma nação (pelo menos por um instante), isso foi um empreendimento extremamente perigoso. As expressões e os símbolos religiosos têm, também na "era secular" e na sociedade secular, um poder tremendo (muitas vezes não reconhecido e subestimado principalmente pelas "pessoas seculares"): quando a força dos símbolos religiosos se une à força das armas, elas criam uma aliança diabólica – como todas as alianças entre religião e política – que, mais cedo ou mais tarde, gera quimeras e espectros do terror[100].

Satanás não pode ser destruído por meio de bombardeios. Ele só pode ser *exorcizado*, expulsado do mundo, se eu começar com isso no *meu* mundo, no meu coração e no meu "inconsciente" – reconhecendo-o como *sombra* do meu próprio ego, como aquela parte não reconhecida que tanto gostamos de projetar sobre o mundo, sobre "os outros". As imagens de terror e os pesadelos (que gostam

---

100. Nesta parte da minha avaliação da "guerra contra o terror" e de suas consequências, cito indiretamente a segunda parte da conversa já mencionada acima de Richard Kearney (ibid.) com a rádio canadense CBC (22/12/2006). Desdobro aqui apenas algumas reflexões críticas de Kearney.

de se arraigar nos relacionamentos e que, surgindo do fundo dos infernos do nosso inconsciente, permeiam também a esfera política) não podem ser vencidos, acredita Kearney, senão pela coragem de encará-los[101]. Deveríamos reconhecer que eles se parecem muito mais conosco do que estávamos dispostos a admitir enquanto, em nosso medo ou ódio, os percebíamos como "seres sem rosto" – este medo ou ódio é, muitas vezes, também aquilo que gera essas imagens de terror e esses pesadelos, ou seja, que os invocam do fundo do inferno.

Expulsamos demônios chamando-os pelo seu nome; quando conhecemos seus nomes verdadeiros, eles deixam de ter poder sobre nós. Deus não pode ser expulso, como diz o título um pouco triunfalista de um livro.

Deus não pode ser expulso também porque Ele não tem esse tipo de nome (o que se torna evidente na cena em que Ele se apresenta a Moisés na sarça ardente)[102]. Nossas tentativas de "defini-lo" (ou seja, de isolá-lo), de imaginá-lo ou de inventar fórmulas ou nomes para Ele, que nos permitiriam invocá-lo sempre que precisássemos de seus serviços para defender nossos interesses de poder, são condenadas pela Bíblia como pecado mortal contra a fé, como magia e idolatria.

Já que Deus não possui um nome, Ele não pode ser invocado ao bel-prazer do homem, mas também não pode ser expulso. Este

---

101. Ibid. Kearney recorre aqui também às suas análises publicadas em seu livro *Strangers, Gods and Monsters*: Interpreting Otherness. Londres/Nova York: Routledge, 2003.

102. A exegese contemporânea interpreta a expressão "Eu Sou Aquele que É" não como autodesignação de Deus ou como definição metafísica (aquele cuja essência e existência são um só, cuja existência é, ao mesmo tempo, seu ser), mas como *recusa* de Deus de corresponder ao pedido de Moisés que Deus lhe revele seu nome.

sem-nome permanece conosco também em uma *forma anônima* – ou seja, também quando não o reconhecemos, louvamos e confessamos. Ele permanece conosco também no *non vocatus* – sem ser reconhecido, sem ser chamado, sem ser identificado – como diz a inscrição no túmulo de C.G. Jung: "*Vocatus atque non vocatus, Deus aderit*" – "Chamado ou não, Deus estará aqui."

Os ídolos, que tanto zombaram da pretensão de exclusividade do Deus judaico – naquele texto do Zaratustra de Nietzsche acima citado –, riram precipitadamente. O Deus dos judeus os sobreviveu também em virtude de sua anonimidade tão protegida e preservada.

A única coisa que nos permite atravessar a nuvem da ocultação divina e quebrar o selo na porta do silêncio de sua anonimidade inacessível é, assim afirma a fé cristã, o nome (ou seja, a pessoa, a humanidade) de seu Filho Unigênito. Podemos falar com Deus e convidá-lo para a nossa vida e nosso mundo, se nos dirigirmos a Ele com o nome de seu Filho, quando o pedimos *em nome* de seu Filho, afirma o Evangelho[103].

Em nosso tempo, a "pérola da ortodoxia", a chamada oração de Jesus ou do coração, que consiste na simples repetição do nome de Jesus, voltou a gozar de certa popularidade – também entre os cristãos; eu também rezo essa oração com frequência[104]. Mas é apenas agora que começo a entendê-la em contextos mais amplos: Em meio ao mundo da violência, no qual Deus parece estar ausente, no

103. Cf. Jo 14,13.

104. Introduções excelentes a esse tipo de orações – as mais práticas e profundas que conheço – são os livros: *Das Jesusgebet: Anleitung zur Anrufung des Namens Jesu* – Von einem Mönch der Ostkirche. Regensburgo: Pustet, 1989 [Org. de E. Jungclaussen]. • STINNISSEN, W. *Em bok om kristen djupmeditation* [Meditação cristã profunda]. Örebro: Libris 1997. • Principalmente JALICS, F. *Kontemplative Exerzitien* – Eine Einführung in die kontemplative Lebenshaltung und in das Jesusgebet. Würzburg: Echter, 1994.

qual precisamos *sobreviver sem Deus* como apoio externo – como nos ensinou já Dietrich Bonhoeffer em sua cela no corredor da morte – não podemos, porém, sobreviver sem "o nome de Cristo" – sem a memória constante (*anamnesis*) de Jesus e seu caminho.

Essa *anamnesis*, como diz o Jesus do Evangelho de São João, é o envio do Espírito – que "vos ensinará tudo e vos trará à memória tudo quanto eu vos disse"[105]. Não se trata aqui de um simples despertar da nossa atenção adormecida (semelhante a uma anotação na nossa agenda, que nos lembra de uma obrigação não resolvida), mas de uma compreensão mais profunda daquilo que emerge da "memória". A memória é, para Agostinho e uma série de outros pensadores cristãos (influenciados pelo platonismo), o lugar onde ocorre o encontro mais intenso da alma com Deus, *um abismo* – provavelmente aquele que a Bíblia (e Pascal) chamam de "coração"; e a psicologia profunda, de "inconsciente", i. e., o *self*.

Se nos lembrarmos regularmente de Cristo (p. ex., na celebração da Eucaristia – onde nos *lembramos de seu sofrimento*), recebemos por meio disso também a força para uma postura atenta. Essa força nos capacita a recusar as drogas de todo tipo, que aparentemente apenas nos entorpecem (Marx ficaria surpreso ao ver quantos tipos diferentes de "ópio do povo" existem justamente num mundo sem religião!), e todas as outras maneiras que nos tentam a anular nossa consciência.

Um dos Padres mais importantes da Antiguidade cristã, Clemente de Alexandria, compara o cristão vinculado à cruz de Cristo com Odisseu, o herói da poesia épica de Homero, que – após tapar os ouvidos de seus companheiros com cera líquida – se amarrou ao mastro do navio, para assim poder ouvir sem perigo as sereias, que, com seu canto, seduziam todos os navios a se chocarem contra a praia: "Passe pelo canto, ele causa a morte. Mas basta você querer, e você pode ser vitorioso sobre a perdição; amarrado à madeira,

---

105. Jo 14,26.

você estará livre de qualquer perdição. Seu navegador será o *logos* de Deus, e o *pneuma*, o sagrado, permitirá sua entrada no porto dos céus. Então você verá o meu Deus, você será iniciado nos mistérios sagrados e poderá gozar o oculto nos céus, que me foi reservado, que jamais foi ouvido por um ouvido e coração humano"[106]. Quando o ser humano se agarra a Cristo e ao mastro de sua cruz, quando – como diz Paulo – "o mundo está crucificado para mim e eu para o mundo"[107], então ele pode ouvir todas essas vozes do mundo sem medo de que elas o confundirão e desviarão do caminho, nos diz este mestre da sabedoria cristã.

Aqui, preciso inserir uma observação sobre o diálogo permanente, que venho travando há décadas em meu pensamento, em minha fé, em meus trabalhos com meu primeiro amor filosófico, Nietzsche. Um de seus comentaristas teológicos observou certa vez: "Nietzsche não seria Nietzsche se não tivesse algo profundo a dizer mesmo quando se engana". Eu não ousaria julgar onde "Nietzsche se engana" e onde ele recorre ao extremo oposto apenas para equilibrar nossa unilateralidade ou os nossos equívocos. O próprio Nietzsche admitiu que "ele tem duas opiniões em relação a tudo". Quando ele percebe que a luz do dia nos fascina demais, ele nos lembra de forma dramática que existe também a profundeza da noite. Quando nossa fala se torna doce demais, ele nos fala com a boca cheia de sal e vinagre. Quando ele descobre que, por trás da nossa piedade comovente, se esconde a ausência de Deus, ele nos mostra como "o mais pio dos ímpios" consegue falar com Deus e sobre Deus; ele que não rejeitaria nosso Redentor – se nós cristãos "parecêssemos mais remidos".

---

106. RAHNER, H. *Griechische Mythen in christlicher Deutung*. Darmstadt: Wissenschaftliche Buchgesellschaft, 1957, p. 473s.

107. Cf. Gl 6,14.

Sei que, para muitos que leram Nietzsche sem estarem presos "a Cristo", ao *mastro da cruz*, sua obra se transformou em sereia que os levou a sofrer um naufrágio trágico. No entanto, tenho certeza que justamente aqueles que aceitaram Cristo "sem distância" e – ao exemplo de Odisseu – não tamparam seus ouvidos com cera podem e devem ouvir Nietzsche com grande atenção e grande proveito.

Podemos nos lembrar do nome de Cristo não só repetindo-o de forma mecânica, pois, nesse caso, "professaríamos seu nome em vão", lançando-nos na magia; "amarrar-se ao mastro da cruz", "crucificar-se a si mesmo com seus desejos e suas paixões"[108] – podemos fazer isso não só por meio de sentimentos pios e consoladores. "Todos os sofridos podem encontrar seu consolo na solidariedade do Crucificado", escreve Miroslav Volf. "Mas apenas o encontrarão aqueles que lutam ao seu lado contra o mal, seguindo seu exemplo. Reivindicar o consolo em Cristo e rejeitar seu caminho significa não só uma graça barata demais, mas também defender uma ideologia falsa"[109].

Quem se crucificou para o mundo por meio da memória das feridas de Cristo preserva a "postura de Cristo" em si mesmo, este não deseja "conhecer Cristo segundo a carne" (e jamais permitirá que a retórica bélica do poder e da violência se apodere do nome de Deus e do nome de Cristo). Ele confessa "Cristo segundo o Espírito", e é em seu Espírito que ele vive e luta. Ele retorna sempre de novo ao campo daquela batalha que, neste mundo, jamais conseguiremos "vencer" por completo, mas que, mesmo assim, precisa sempre ser travada. Ele precisa ter a coragem de ficar de joelhos, de ser *estigmatizado*, de entrar na escuridão do abandono de Cristo –

---

108. Cf. Gl 5,24.

109. VOLF, M. *Odmítnout nebo obejmout*. Ibid., p. 33.

na esperança de que jamais conseguirá cair do abraço dos braços estendidos na cruz.

Àqueles que neste mundo são forçados a se ajoelhar pela violência e maldade sem terem participado do jogo da violência e da maldade, àqueles que "lavaram as vestes e as alvejaram no sangue do Cordeiro"[110], àqueles que "vêm de grande aflição", o Apocalipse de São João promete a participação naquela liturgia, na qual todos se ajoelharão diante do Cordeiro e entoarão uma nova canção: "Digno és de receber o livro e de abrir-lhe os selos, porque foste imolado e com teu sangue adquiriste para Deus gente de toda tribo, língua, povo e nação"[111].

Existem selos que só podem ser abertos por mãos *estigmatizadas*.

---

110. Cf. Ap 7,14.

111. Ap 5,9.

7
Estigmas e perdão

O já falecido arcebispo de Praga, o Cardeal Tomášek, que, se não me engano, foi testemunha ocular do atentado a João Paulo II na Praça de São Pedro em Roma, certa vez me falou de uma conversa com o papa ferido, quando o visitou no hospital mais ou menos dez dias após o atentado. Ao ser perguntado como estava, o papa deitado em seu leito usou seus olhos para apontar para suas mãos e sua barriga enfaixadas e disse com um sorriso: "Bem, estou estigmatizado".

Nos anos seguintes, lembrei-me dessas palavras em três ocasiões: quando vi o papa abrir a porta santa da Basílica de São Pedro no início do Ano Santo de 2000; depois, quando acompanhei os momentos trágicos de 11 de setembro de 2001 e, por fim, quando assisti às breves imagens de TV da visita do papa na cela do autor do atentado.

Comoveu-me o fato de este papa ter aberto a porta para o novo milênio e de ele ter feito isso com as mãos estigmatizadas. Não havia sido o atentado ao papa um sinal profético? Não cumpriu o papa, ao apresentar em seu próprio corpo uma ferida que quase 25 anos mais tarde se revelaria como ferida mais ameaçadora da nova era – a violência dos ataques terroristas –, uma tarefa semelhante àquela que Deus impôs aos profetas do Antigo Testamento, ou seja, a de anunciar simbolicamente por meio de sua própria conduta e seu próprio destino o que aconteceria em breve *com todo o povo*?

E não respondeu este mesmo papa à pergunta sobre a cura verdadeira dessas feridas quando, anos mais tarde, levantou do chão e abraçou aquele homem que havia tentado tirar sua vida de forma tão dolorosa? Talvez muitos outros tenham experimentado o mesmo quando assistiram àquela curta gravação televisiva – que se parecia tanto com a imagem famosa de Rembrandt do retorno do filho pródigo: a sensação de um desejo ardente de poder estar presente pelo menos durante um instante e, ao mesmo tempo, de gratidão pelo fato de as câmeras terem sido desligadas logo em seguida, de forma que as mídias não puderam transformar essa cena rembrandtiana em um clichê sentimental.

Por favor, não distorça as palavras em minha boca: eu não acredito que o terrorismo desapareceria do mundo se o Presidente Bush tivesse ido até Osama bin Laden para abraçá-lo (ou até seu arqui-inimigo Saddam Hussein, que ele encontrou no lugar do primeiro). Não estou dizendo que os atos do papa sejam universalmente aplicáveis e que exista apenas uma receita para a cura das feridas do mundo. Sei que existem momentos em que o ser humano precisa defender a si mesmo e a outros com uma arma na mão.

Uma coisa, porém, tem validade geral: não podemos ajudar à violência e à maldade a conquistar a vitória permitindo que elas nos arrastem para seu campo de batalha, que elas nos mordam com o veneno do ódio, que obscureceria o nosso cérebro e o nosso coração ao ponto de nos tornar incapazes de tomarmos decisões sóbrias e responsáveis. Não podemos permitir que a violência e a maldade nos obriguem a jogar com as mesmas cartas falsas, com que elas mesmas jogam; que elas envenenem nossa língua e manchem nossos lábios com aquelas palavras mortais com as quais elas mesmas incendeiam o espírito da vingança e iniciam o círculo da retaliação, para assim manterem viva a chama destruidora da guerra permanente na Terra. Apenas se não capitularmos moralmente diante do mal ao ponto de *tornar-nos elemento dele*, talvez a família humana seja capaz de avançar sem medo de uma destruição mútua no caminho do terceiro milênio da era cristã, cuja porta o papa corajoso abriu com as mãos estigmatizadas.

Há vinte anos, um quadro grande, um pouco expressionista, no qual o Cristo ressuscitado mostra suas mãos enormes marcadas pelos pregos da cruz e cuja ferida no lado transparece por baixo do tecido de sua roupa, decora a parede do meu escritório em Praga. E também aqui na eremitagem tenho diante de mim a reprodução de uma pintura com um tema semelhante; e a Eucaristia no altar – ela não remete também ao mesmo mistério do pão *partido* para os peregrinos esfomeados?

Quando o Jesus Ressurreto, transformado pela morte, se mostrou pela primeira vez ao círculo de seus discípulos (Tomé não estava com eles, como está escrito), quando lhes mostrou pela primeira vez as suas feridas e as usou um pouco como uma carteira de identidade para se legitimar, ele veio para lhes trazer um grande presente: *o Espírito do perdão*.

Esse "Pentecostes joanino", como alguns chamam a cena da entrega do Espírito no Evangelho de São João, não oferece a "dádiva das línguas", como o faz a cena analógica nos Atos dos Apóstolos, mas a dádiva *da língua do perdão*. Mas esta também é, sobretudo, um instrumento de comunicação e de compreensão com os seres humanos, que, sem ela, nos seriam estranhos ou até mesmo hostis.

Talvez aquilo que mais chocou os discípulos em seu encontro com o Ressurreto tenha sido não o fato de que aquele, que eles acreditavam estar morto, estava vivo – pois a Bíblia conhece várias dessas cenas e os próprios discípulos haviam testemunhado a ressurreição de Lázaro. Talvez a novidade radical desse surgimento do Messias da escuridão do sofrimento e das mãos de seus inimigos consista sobretudo no fato de que *Ele não veio como vingador, mas como perdoador* – como aquele que incentiva e nos capacita para o perdão[112].

Uma das últimas parábolas que Jesus contou aos seus discípulos ocupa um papel-chave na pergunta referente ao que vem depois, depois da morte de Jesus. Trata-se da Parábola dos Lavradores Maus[113].

O senhor, que *viajou para o exterior* (algo que Deus, ou melhor, as figuras que simbolizam Deus nas parábolas de Jesus costumam fazer com frequência), envia aos lavradores em sua vinha um servo após o outro – e, por fim, seu próprio filho. Os lavradores, porém, cegados por sua cobiça e da suposição ingênua de que, matando o herdeiro da vinha, eles poderiam se apropriar definitivamente da propriedade do senhor, o matam. O que faz o senhor com esses lavradores?

Dois evangelistas colocam na boca de Jesus uma resposta mais ou menos lógica, algo que todos esperam dele, ou seja: Ele os *castiga duramente*. Mas um dos evangelistas, Mateus, faz com que essa resposta saia das bocas dos discípulos[114]. O próprio Jesus não responde à pergunta diretamente.

Apenas a Ressurreição traz aos discípulos a mensagem chocante, a solução inesperada para aquela história, a resposta surpreendente para o mistério da Páscoa: *Deus não se vinga*. Jesus traz a paz, o Espírito e o perdão. Suas mãos traspassadas se levantam contra a chama da vingança e da violência e diz: Basta!

---

112. Cf. Jo 20,19-23.
113. Cf. Mc 12,1-8.
114. Cf. Mt 21,41.

Se os discípulos não tivessem corrido, se eles tivessem perseverado ao pé da cruz como as mulheres e João, eles teriam ouvido uma alusão evidente ao final dessa história já do alto da cruz: Pai, perdoa-lhes porque não sabem o que fazem.

Jesus não fala aqui como uma pessoa ingênua que tudo perdoa e que não sabe como é escura a maldade daqueles que o levaram à cruz com grande determinação. Eles sabem o que *querem* – mas falta-lhes o senso para aquilo que *fazem*.

Jesus insere sua ação em um contexto que os olhos, cegados pela maldade, não conseguem reconhecer. Ele, que está *acima deles*, vê e o cumpre naquele paradoxo joanino da exaltação e humilhação. Apenas daquele ponto de vista doloroso lá do alto da cruz e apenas daquela perspectiva da qual o Pai olha para o sacrifício do Filho – aquele que, como já sabemos, dentro de instantes parecerá estar infinitamente distante do próprio Filho – é possível reconhecer o sentido verdadeiro do drama da Páscoa. Este sentido é completamente ignorado pelos agentes da crucificação – sim, estes sabem apenas aquilo que eles mesmos querem, mas não sabem o que estão realmente fazendo. São cooperadores inconscientes em algo que eles não podem entender – em um ato que, *por meio do poder do perdão, interrompe o mecanismo de vingança e violência*[115].

Assim, os inimigos e assassinos de Jesus jogam lenha numa fogueira que não arderá nem destruirá mais, antes fará brilhar a luz que nos permitirá encontrar um caminho que nos levará para fora da noite do ódio. As mãos que os "lavradores maus" pregam à cruz não serão vingadas – ao contrário da expectativa dos ouvintes daquela parábola enigmática de Jesus; essas mãos, traspassadas na cruz, transmitem uma mensagem extremamente chocante do senhor

115. René Girard dedicou a esse aspecto da Páscoa muita atenção em suas obras. Cf., p. ex., GIRARD, R. *Der Sündenbock*. Zurique: Benziger, 1988. No espírito de Girard, o teólogo R. Schwager também explora o drama da Páscoa em *Jesus im Heilsdrama* – Entwurf einer biblischen Erlösungslehre. Innsbruck: Tyrolia, 1990.

da vinha. No lugar de Deus, que viajou para o exterior, retorna o *herdeiro* e diz: Basta! Já chega de pecados no mundo que, sem cura, continuam a clamar por vingança e sempre mais violência. E por isso eu lhes digo algo que os ouvidos das pessoas neste mundo de violência ainda não ouviram e que ainda não penetrou na alma humana, obscurecida pelo desejo de vingança. Eu chamo vocês com insistência para a obra da cura, do perdão: *Àqueles que vocês perdoam os pecados, eles são perdoados. Àqueles que vocês não perdoam os pecados, eles não são perdoados*. Vocês não viram na cruz para onde podem levar os pecados que não são perdoados, para onde pode levar a maldade que não é curada, para onde pode levar a violência que não é impedida *por meio do poder daquele que aceita a ferida, mas não a passa para o outro*?

Esse tipo de palavras arromba as portas do inferno.

Durante 40 dias, Jesus mostra suas feridas e ensina aos discípulos a arte de não retribuir o mal com o mal. E então, no dia da Ascensão, ele também desaparece misteriosamente para estar com aquele "que viajou para o exterior". Agora, ele nos deixa a história como espaço livre, no qual devemos testemunhar aquilo que dele aprendemos. Agora, nós somos *os herdeiros*; agora, nós somos os administradores da vinha.

Olhando para trás para a nossa história cristã, precisamos, porém, admitir que, muitas vezes, não imitamos o Filho, mas os lavradores maus, que apedrejaram, bateram e mataram os profetas que foram enviados até eles. Foi justamente por isso que o "Papa do Milênio", João Paulo II, investiu tanto na *cura das cicatrizes do passado*; foi justamente por isso que, corajosamente, ele abriu os olhos do mundo para os lados escuros da história da Igreja, para então, no início da Quaresma do Ano Santo de 2000, pedir publicamente a Deus e aos homens que perdoassem a Igreja por todos os pecados cometidos e agora confessados por ela, pois nós também temos a responsabilidade de perdoar sempre de novo aqueles que pecaram contra nós.

Existe, portanto, certa esperança no fato de, até agora, a história sempre ter continuado. Existe certa esperança no fato de que, até agora, a humanidade não se destruiu, apesar de ter à sua disposição meios mais eficientes, rápidos e de mais fácil acesso do que nunca. Existe certo encorajamento no fato de que um homem com mãos estigmatizadas abriu a porta para o novo milênio e, no espírito do perdão, nos incentivou a passar por ela – pois apenas assim podemos *ultrapassar o limiar da esperança*.

8
Batidas contra a parede

"Dois presos em duas celas vizinhas, que se comunicam por meio de batidas na parede. A parede é aquilo que os separa, mas é também aquilo que lhes permite comunicar-se. O mesmo vale para Deus e nós. Cada separação é uma conexão", escreveu Simone Weil[116].

Isso não vale também para as nossas feridas, para aqueles que encontramos em nossa própria vida, em nosso coração, para as feridas das pessoas que encontramos e também para as feridas que preferimos ignorar? Não esconde – como já vimos nos olhos distintos de Pilatos e Tomé com os quais olharam para as feridas de Jesus – cada uma dessas feridas a possibilidade tanto da separação quanto da conexão no relacionamento com Deus ou – como alguns preferem chamar Deus – com o sentido da vida? Não é a experiência de um ferimento algo que *abala aquele sentido* (e a confiança de que tudo tem um sentido), algo que, tantas vezes, parece ser uma insensatez e um contrassenso – mas também algo que pode se transformar em *um caminho para uma compreensão mais profunda do sentido*, do sentido não só de uma dor sofrida ou compartilhada?

Quando falamos aqui de feridas, pensamos não só em dores físicas, mesmo que os mais diversos ferimentos, doenças ou

---

116. WEIL, S. *Aufmerksamkeit für das Alltägliche* – Ausgewählte Texte zu Fragen der Zeit. Munique: Kösel, 1987, p. 102 [Org. De Otto Betz].

deformações inatas do corpo também representem esse tipo de feridas. Portanto, pretendemos falar não só de pobreza, violência e injustiça social, mesmo que esses terrores dolorosos – que, muitas vezes, "clamam ao céu", como diz a Bíblia – naturalmente não possam faltar na lista daquilo que não devemos perder de vista. Falamos não *só* das fraturas e dos "tumores cancerígenos" tragicamente negligenciados na área dos relacionamentos humanos mais íntimos, sobretudo nos casamentos e nas famílias, mesmo que estas sejam feridas que estão destruindo tantas pessoas e deixam cicatrizes tão duradouras e incuráveis que jamais poderemos fazer o bastante para a prevenção e cura dessas "doenças civilizatórias". Queremos falar não *só* das muitas dores das pessoas em nossa volta, de forma que não podemos mais chamá-las de sintomas individuais e particulares, mas de *feridas do tempo*, que têm a ver com nossos "pecados sociais" – como os sentimentos de abandono, alienação, depressão, solidão no meio das multidões das cidades grandes, como a tristeza amarga no meio dos parques de diversão do entretenimento das massas ou a sede de amor, proximidade e carinho no meio das músicas populares, que usam a palavra "amor" em cada linha. Tenho tudo isso e muito mais diante dos meus olhos. Tenho em vista "os ferimentos da fé" – e quando uso esta expressão, penso não só nas "dificuldades religiosas" ou nas dificuldades das pessoas religiosas e pias com a Igreja (mesmo que estas também sempre precisem ser incluídas na enumeração das dores). *Pois cada ferimento real é também (e sobretudo) um ferimento da fé*, e como tal ele pode deixar cicatrizes que precisam de muito tempo para curar, porque, muitas vezes, não são admitidos, reconhecidos e tratados. Pois cada ferimento real perturba o ser humano em *sua confiança* (na maioria das vezes implícito, irrefletido) *no sentido do mundo e da vida*, da qual todos nós extraímos em certa medida a força para viver e sobreviver. Todos nós vivemos dessa fé e dessa confiança em um sentido, mesmo que nem todos nós designemos ou definamos esse sentido com palavras religiosas.

Trata-se daquela confiança primordial que todos nós compartilhamos em certa medida – mesmo que em medidas muito diversas. E quando a compartilhamos, somos pessoas saudáveis, i. e., somos pessoas que estão de bem consigo mesmas e que conseguem afirmar o nosso mundo e o destino de nossa vida. Se existe algo que represente no ser humano um "fundamento natural para a religião" (muito distante ainda de quaisquer formas institucionais, doutrinárias ou rituais), trata-se desse "sim" a si mesmo e ao cosmo, que, inconscientemente, confirmamos com cada um de nossos atos e pensamentos sensatos. O aspecto mais doloroso de nossos ferimentos é o fato de eles nos isolarem dessa experiência de sentido, o fato de o questionarem ("Por quê? Por que eu? Por que esta pessoa e não outra?") – e o maior perigo das feridas consiste na possibilidade de eles minarem para sempre essa confiança primordial.

Ao mesmo tempo, porém, a pergunta que a dor suscita em nós representa também a oportunidade *de procurarmos e encontrarmos aquele sentido* – de fazermos daquilo que, até então, vivenciamos de forma implícita e inconsciente o objeto da nossa reflexão. Muitas pessoas puderam reencontrar e experimentar de forma muito profunda este sentido justamente na noite da dor (e mais no fim dela do que no início, apenas naquela "hora antes do alvorecer").

A dor se transforma então naquele muro que *nos separa e, ao mesmo tempo, nos conecta* com o sentido (ou com Deus, como alguns preferem designar o sentido) – se não ficarmos sentados diante do muro, mas "batermos" nele e ficarmos atentos às batidas do outro lado. No entanto, é importante sabermos interpretar bem a linguagem de signos desse tipo de comunicação.

Talvez a "educação religiosa" (que uma jovem teóloga e pedagoga tcheca chama de "educação para a não indiferença"[117]) devesse ser mais do que uma mera apropriação dos fatos das histórias bíblicas, talvez devesse ser um esforço para aprender a linguagem

---

117. SVOBODOVÁ, Z. *Nelhostejnost*. Praga, 2005.

desses símbolos, sem os quais corremos o perigo de nos transformar em presos desesperados e isolados – principalmente em tempos de provações da vida.

Estamos falando aqui de nossas próprias cicatrizes, dos ferimentos dos nossos próximos e das "feridas do mundo". Se agora refletirmos sobre eles do ponto de vista da fé, perceberemos que todos eles se fundem em uma mesma coisa – todos eles são as *feridas de Cristo*, desde que creiamos no mistério da encarnação – e todos eles são *nossas feridas*, contanto que nos conscientizemos de que não podemos oferecer a Deus as feridas dos outros se nós mesmos não nos solidarizarmos com os feridos, se essas feridas não nos tocarem e não ferirem a nossa própria consciência, se elas não nos inquietarem e não nos tirarem da nossa indiferença. Não podemos oferecer a Deus algo que não *seja ao mesmo tempo dele e nosso*; pois fora de Deus (e de nós, contanto que estejamos nele) existe realmente apenas o "inferno".

As abençoadas semanas de verão aqui na eremitagem são para mim, em todos os anos, um tempo feliz de oração (vivencio também a redação destes textos como forma de oração), da oração de louvor e gratidão, mas também de intercessão.

O que é uma oração de intercessão, qual é o seu sentido? Significa informar Deus sobre as necessidades das pessoas? Isso seria bobo. Significa enviar o sofrimento dos outros e as dores do mundo para algum lugar no além e dizer: "Cuide você disso, Deus!"? Isso seria uma autoenganação na forma de um álibi, de magia e superstição, ou seja, justamente aquilo o que imaginam aqueles que nada sabem do espírito e sentido verdadeiro de uma oração cristã – os ateus, que zombam dela, e (infelizmente) também alguns cristãos, que a "praticam" e recomendam dessa forma.

Uma oração intercessória é uma conversa com Deus sobre o sofrimento dos outros que eu vivencio como meu próprio sofrimento. Nessa conversa – confrontado com a palavra do Evangelho, em um distanciamento silencioso de meus próprios desejos, emoções e ideias – aprendo a discernir no espírito de uma oração preciosa aquilo que eu mesmo posso mudar e aquilo que não posso mudar. Aprendo a aceitar como obrigação minha aquilo no qual eu mesmo posso me empenhar e peço força e coragem para ajudar, para não fugir, não adiar, não esquecer e não fechar os olhos.

Aprendo, porém, também a "soltar" e abrir mão daquilo que *eu não posso mudar* – a reconhecer humilde e realisticamente os meus limites, a me livrar das utopias e ilusões da própria "onipotência"; e assim consigo me livrar também dos *supostos* sentimentos de culpa, de injustiça, de raiva e impotência, de todas as preocupações e do estresse diante do fato de que eu – já que não sou Deus – preciso deixar algumas tarefas para Deus e para aqueles que Ele mesmo recruta para essas tarefas. *Que Deus me dê a serenidade para aceitar as coisas que não posso mudar, coragem para mudar as que posso e sabedoria para distinguir entre elas*.

Uma oração não é um calmante, tampouco é uma oportunidade de chorar no ombro de Deus. Trata-se antes da ferraria de Deus, onde a chama da palavra do Evangelho nos forja e transforma em um instrumento dele – um instrumento, porém, que, nas mãos de Deus, não perde a liberdade nem a responsabilidade de decidir como e para que ele é usado.

Uma oração não é um voo imaginário para o céu nem uma fuga para o além dos nossos desejos. Pelo contrário: a oração volta nosso olhar para a terra sempre que somos tentados a olhar passivamente para o céu das nossas imaginações, projeções e utopias – como aconteceu também no dia da Ascensão, quando uma voz divina advertiu os discípulos do Senhor: Galileus, por que estais olhando para o céu?[118] Essa mesma voz nos livra de todas as desculpas pias, ela nos ensina a firmar nossos pés na terra, a *ser fiel a terra*[119], a nos conscientizar de que *a terra na qual pisamos* é terra sagrada[120].

Na oração nós nos conscientizamos de que *este mundo* – e não o "céu estrelado sobre nós e a lei moral em nós" de Kant – é aquele campo no qual se esconde o tesouro de Deus[121]. "O campo é o mundo", diz Jesus aos discípulos quando lhes explica a Parábola do Semeador[122].

O campo, no qual Ele trabalha sem cessar e para o qual Ele também nos envia sem cessar, é também o nosso coração, a nossa vida, posta neste mundo. Trata-se daquele solo que se distingue pela qualidade e pela circunferência: quando a Palavra de Deus cai entre os espinhos, ela não brota; quando ela cai entre as pedras de nossos corações duros e "incircuncisos"[123] ou na água rasa da nossa superficialidade, ela morre e não traz fruto.

Quando rezamos e nos postamos em frente à cruz ou a um ícone, não pretendemos que esse símbolo seja um objeto mágico-sagrado, um instrumento mágico, mas uma lembrança (*anamnesis*) que nos desperta de nossos sonhos, nos impede de girar em torno de nós mesmos e nos afasta da tentação do monólogo. A oração é um diálogo; por isso, precisamos ter o cuidado de não ignorar a fala de Deus em meio ao murmúrio da cachoeira de nossas lindas e pias poesias.

A resposta de Deus não é um sussurro enigmático, sobre o qual podemos sempre – de forma ingênua ou maliciosa – projetar

---

118. At 1,11.

119. "Exorto-vos, meus irmãos, a permanecer fiéis à terra e a não acreditar naqueles que vos falam de esperanças supraterrestres! São envenenadores, quer saibam ou não" (NIETZSCHE, F. *Assim falou Zaratustra* I. "Preâmbulo de Zaratustra", § 3).

120. Ex 3,5.

121. Cf. Mt 13,44.

122. Mt 13,38.

123. Cf. Rm 2,28-29.

as nossas próprias respostas que sempre quisemos ouvir de Deus. A "batida divina contra a parede" das nossas prisões nada tem a ver com as batidas de sessões espiritistas, com a adivinhação com cartas que já distribuímos ou com fígados de pássaros. Tampouco tem a ver com o "abrir aleatório da Bíblia" nem com aquilo do qual os pregadores ao estilo dos evangelistas de TV norte-americanos tentam nos convencer.

A resposta de Deus é nossa própria vida, interpretada agora com calma e com certa distância, à luz da Palavra de Deus, em sua presença – um texto, cujas formulações muitas vezes complexas e enigmáticas podemos decifrar com a chave do Evangelho (e, como já mencionamos acima, entendemos o Evangelho sempre de novo e de forma sempre mais profunda por meio das nossas próprias experiências de vida). Na oração e na meditação, a vida, essa correnteza rápida de eventos, é transformada primeiramente em *uma experiência*; fragmentos de palavras isoladas se transformam em um texto com sentido; o ferro quente das nossas emoções ou das queimaduras da nossa vida é forjado na bigorna da Escritura. Sim, a oração é uma forja de Deus, não é apenas um canto tranquilo do sono gostoso das almas nobres. Às vezes, o clima esquenta bastante aqui!

Muitas vezes, falo da "bênção da oração não respondida". É apenas essa experiência que leva o ser humano ao limiar verdadeiro de sua fé. Se, até então, a pessoa (muitas vezes apenas em segredo ou sem admiti-lo) via Deus apenas como autômato, que executa ordens de forma confiável e infalível, ela precisa entender agora que "Deus não funciona assim", que esse tipo de Deus, um eletrodoméstico confiável e potente, *não pode existir*. O ser humano faz muito bem quando rejeita esse tipo de Deus e esse tipo de religião. Pois apenas então ele recebe a chance de entender que o propósito da fé e da oração é que nós nos esforcemos a entender os *desejos de Deus*. Aqui devemos encontrar força e sabedoria e desenvolver a disposição generosa que nos permite dar preferência aos desejos de Deus. Esse caminho, porém, certamente não será um caminho largo para muitos.

A oração é – ao contrário da apresentação de uma lista com nossas encomendas – "uma troca de preocupações". Não se preocupem com comida, bebida, casa e roupas, mas procurem primeiro o Reino de Deus e a sua justiça, e todas as outras coisas lhes serão acrescentadas, diz Jesus[124]. Evidentemente, isso não significa que eu tenha que tirar dos ombros de Deus a causa do Reino de Deus para assim realizar "o reino" por conta própria. A vinda do Reino de Deus é realmente responsabilidade de Deus, não nossa; pois sempre que as pessoas tentaram realizar o céu na terra por conta própria, com suas próprias forças e possibilidades, elas normalmente transformaram a terra rapidamente em um inferno. Também não significa que eu deva negar minha responsabilidade diária pela minha existência, minha sobrevivência e delegá-la aos anjos ou aos anjos em forma humana – um grande número de "pios despreocupados" já levaram "os anjos" de seu convívio até a morte, porque estes permitiram que fossem explorados.

Essas "preocupações" diárias devem antes perder seu caráter de *preocupação temerosa*, que ocupa todo o horizonte do ser humano, absorve toda sua energia e o leva a girar apenas em torno de si mesmo. Nossas supostas preocupações sempre visam à área do "possuir" (e *não somente* de coisas materiais); e elas se tornam realmente nocivas quando o "possuir" deixa de ser um meio e passa a ser um fim em si mesmo.

No entanto, só posso me livrar dessa preocupação e desse temor se eu realmente viver de acordo com determinados valores e se eu colocar duas coisas em primeiro lugar: preciso me abrir para aquilo por meio do qual Deus rompe o horizonte limitado do meu dia a dia e ser responsável pelo reconhecimento e pela utilização de suas dádivas.

---

124. Cf. Mt 6,25; 31;33.

A oração e a meditação são uma oficina na qual formamos e forjamos nossas *decisões fundamentais*, na qual, após o desaparecimento da espuma passageira das *emoções*, amadurece a *vontade* de responder a Deus – não como Adão, que se escondeu no mato de suas desculpas, mas *face a face*.

A oração e a meditação são também o lugar da *cura das feridas da nossa vida*.

Não estou falando de uma "cura por meio da fé", proclamada nos eventos de evangelização de massas em estádios. Sempre acreditei que o lugar da fé cristã era mais aquela arena em que os mártires eram devorados pelos leões e não a arena em que o leão é incentivado pela droga do entusiasmo da multidão a devorar as objeções sóbrias da razão crítica. Nada tenho contra uma liturgia em estádios ao ar livre durante viagens do papa ou ocasiões semelhantes. Mas se os alto-falantes berrarem ordens do tipo "Quem acredita em Cristo levante os braços, aleluia!" – que apostam que a floresta de braços erguidos coaja os indecisos a se submeter a algo que eles chamam de conversão –, eu me lembro da liturgia católica que nos incentiva em cada missa: *sursum corda* – Elevem os corações (não as mãos)! E lembro também que a tradição cristã define a oração como elevação *do coração* a Deus – como movimento interior, não exterior.

Sim, durante a liturgia o sacerdote também eleva os braços, mas esse gesto não é provocado por uma ordem emitida por alto-falantes, e, ao contrário das evangelizações em massa, ele não evoca em nós imagens de votações unânimes nos parlamentos de estados autoritários. Aquilo que realmente põe em movimento o nosso corpo – os pés para o discipulado, as mãos para a obra do Reino de Deus – é um coração transformado, não uma atmosfera, os fogos de artifício emocionais provocados pela sugestão coletiva. No entanto, a transformação do coração não é possível se esse coração não for comovido e *ferido*.

Entendemos a palavra "coração" aqui no sentido bíblico – como *profundeza* do ser humano, não como mera sede de sentimentos, emoções e caprichos; quando falo em "comoção do coração", refiro-me a uma virada radical na vida, não a um mero momento de excitação ou comoção.

Em reação ao Iluminismo racionalista e moralizante, que suprimiu a vida emocional, o velho Freud, os psicanalistas e, depois destes, a psicologia humanista, tentaram reabilitar e libertar as emoções; a vitória total e a influência enorme da psicologia humanista sobre todas as áreas da cultura, educação e sociedade ocidental a partir do final da década de 1960 nos levaram ao outro extremo. Vivemos num mundo em que as *emoções* ditam e justificam tudo, e esse desequilíbrio, essa unilateralidade está corroendo o caráter humano.

Pessoas que confundem *o amor* com um sentimento se *sentem* no direito de abandonar seu parceiro quando *deixam de sentir* algo por ele; pessoas que confundem a *fé* com um abalo pio das emoções começam a se considerar ateus justamente naquele momento em que sua vida religiosa finalmente começa a sair das fraldas e agora teria a chance de amadurecer. Pessoas que confundem a *esperança* com sentimentos otimistas estão prontas para o suicídio quando a vida lhes rouba suas ilusões otimistas – mas este momento seria justamente a oportunidade de testemunhar o poder da esperança; *devemos prestar contas de nossa esperança*, não de nossos humores ou caprichos.

Vistos de cima, vistos da perspectiva teológica, a fé, o amor e a esperança são uma dádiva de Deus, um ato de Deus, o derramamento da graça em nossa alma. São "virtudes teológicas". Preciso, porém, observar que, às vezes, suspeito daqueles que insistem exclusivamente nessa visão de cima. Suspeito que eles se esforçam demais para "ver por cima dos ombros de Deus". Podemos olhar para a fé, o amor e a esperança também *de baixo*, da nossa perspectiva humana diária: trata-se aqui simultaneamente de atos da decisão humana, da liberdade humana na interseção das possibilidades: *Quero ou não* crer, amar e esperar. Se eu quiser crer – e Pascal sabia muito bem disso –, apenas *então* eu me abro para os muitos argumentos da razão em prol da fé; se eu não quiser crer, passarei a vida inteira tropeçando em novas justificativas para a minha descrença. O mesmo vale para o amor e para a esperança – e também para o perdão.

Um exorcista católico contemporâneo, em cujos livros encontro muito que me enfurece, mas também muito que me surpreende, principalmente no que diz respeito aos seus conhecimentos sobre o caráter humano, se irrita quando uma pessoa lhe diz que não sabe se já perdoou a determinada pessoa ou não. *Se você quiser perdoar, você já perdoou*, ele costuma dizer a ela. Mas acrescenta imediatamente: isso, porém, não significa que as feridas que esta pessoa causou em você parem de doer imediatamente, que você nunca mais será tomado por lembranças amargas ou que você passe a ter sentimentos ardentes de intimidade e simpatia por aquela pessoa. A "cura de feridas" é sempre um caminho longo[125].

O mesmo se aplica ao amor, ele acrescenta: o amor também não é apenas um sentimento, um estado emocional, mas algo diferente, algo muito mais profundo. O amor e o ódio, afirma ele, são questões *da vontade*, não de emoções e simpatias. Quando alguém me é simpático, isso não significa ainda que eu o ame; quando alguém não me é simpático, isso não significa automaticamente que eu o odeie: certamente, os fariseus não despertavam sentimentos de simpatia em Jesus, mas jamais poderíamos dizer que Ele os odiava. O amor significa que eu desejo o bem ao outro e que estou disposto a fazer-lhe bem da melhor maneira possível. Ódio significa que eu lhe desejo o mal e que estou disposto a cometê-lo assim que surgir uma oportunidade.

---

125. Cf. VELLA, E. *Ježíš* – lékař tela i duše [Jesus – o médico do corpo e da alma]. Kostelní Vydří: Karmelitánské nakladatelství, 2006.

Talvez tenha chegado a hora de *despertar a vontade* após um longo período de hibernação, uma vontade que foi soterrada pelas avalanches sentimentais. Nietzsche não estava tão errado assim quando exigiu que os cristãos passivos se transformassem em leão que ruge livremente: *Eu quero*![126]

A diferença, porém, é que este "Eu quero" do qual estamos falando aqui não deve ser um rei do deserto solitário e orgulhoso. Nossa vontade e nossa liberdade devem ser formadas e amadurecer no diálogo com Deus e com o próximo; nossa liberdade se realiza apenas se ela for uma resposta livre e criativa àquele chamado de Deus, inscrito de tantas formas diferentes nas necessidades e nas feridas dos nossos próximos e do nosso mundo.

---

126. Cf. NIETZSCHE, F. *Assim falou Zaratustra*, I. Os Discursos de Zaratustra, "Das três transformações".

9
Corpos

Alguns anos atrás, um casal fez um requerimento exigindo que o crucifixo fosse removido da parede de uma sala de aula, pois era inaceitável que seu filho fosse obrigado a ficar olhando para um objeto tão feio. O caso se transformou em escândalo, que, por fim, resultou numa decisão do tribunal constitucional em Karlsruhe, que determinou que todas as cruzes fossem removidas das escolas públicas. Alguns anos depois, os legisladores franceses – após um longo debate sobre o uso de véus pelas alunas muçulmanas, que ocupou muito espaço nas mídias – chegaram à conclusão de que tanto os véus das muçulmanas quanto as cruzes ("chamativas") nos pescoços de cristãos e os quipás nas cabeças judaicas deveriam se tornar tabus. É uma pena que os legisladores deixaram de se formar em fenomenologia das religiões. Senão saberiam que esses símbolos ocupam papéis completamente diferentes nesses sistemas religiosos, que, para um cristão, a cruz realmente não representa a mesma coisa como o véu para uma muçulmana – mas seja como for, como já dizia o paizinho Stalin: "Não se fazem omeletes sem quebrar ovos!" Na mesma época, os representantes da Europa unida votaram contra a menção explícita do "cristianismo" no preâmbulo do esboço para a constituição europeia.

Seja como for! A Europa certamente não será mais ou menos cristã se essa palavra for incluída na constituição ou não, e o Espírito enviado por Cristo *sopra para onde bem entende*, e certamente nenhum decreto jurídico nem diretores de escolas conseguirão impedi-lo de entrar em escolas francesas ou alemãs. Provavelmente, eu não teria participado da demonstração dos católicos da Bavária, que foram até Karlsruhe para erguer cruzes em frente ao prédio do tribunal, mesmo que eu entenda os sentimentos dessa geração de alemães, que já vivenciou uma vez a retirada das cruzes das salas de aula; no dia seguinte, viram ali a fotografia oficial do homem com bigodezinho e cabelo penteado de lado. Na verdade, a remoção das cruzes não é tão interessante assim – afinal de contas, nós, os católicos, estamos acostumados com o cobrimento das cruzes nas igrejas durante a Quaresma; às vezes, é até necessário cobrir ou remover os símbolos, com cuja presença já nos acostumamos tanto que já nem mais nos conscientizamos de sua presença. Sua ausência nos permite então redescobrir seu sentido, talvez até de forma mais profunda. Muito mais interessante, porém, é a pergunta sobre *aquilo que surge no lugar desocupado*. Que tipo de banquetes nos preparam aqueles que nos impõem um "jejum cristão"? Talvez aprendamos a valorizar os valores da nossa fé apenas em comparação com aquilo que imediatamente passa a ocupar seu lugar.

Alguns anos mais tarde, lembrei-me do processo sobre a feiura da cruz e sobre a vista insuportável das feridas de Cristo, quando visitei Berlim e a cidade estava literalmente coberta de cartazes e fotografias de corpos despelados. No metrô, em cada esquina, nos quiosques – por toda parte espalhavam-se os cartazes que chamavam para a exposição itinerante recém-inaugurada de um comerciante norte-americano sobre restos mortais, intitulada de *Bodies – Corpos*.

Não visitei a exposição, mas a ideia e o fato de que foi possível realizá-la me pareceu característica do estado da cultura atual e do relacionamento secular com a morte, de forma que analisei cuidadosamente todo o material disponível, os anúncios e os comerciais de TV, e também o amplo debate público realizado nas mídias alemãs no contexto dessa exposição. Tentei refletir sobre todos os argumentos a favor e contra a exposição que eu havia ouvido nesse debate. Comoveu-me em especial a iniciativa de um padre de Berlim que celebrou um réquiem para aquelas pessoas que, em vez de encontrarem seu descanso num túmulo, se viram expostas na vitrine do não descanso aos olhos de sensacionalistas e recordistas profissionais, um tentando superar o outro na violação dos limites morais e estéticos.

Desde sempre, os antropólogos reconhecem nos cemitérios e na existência de uma cultura fúnebre o sinal com o qual identificamos o início da espécie *homo sapiens* e que nos ajuda a distingui-los de seus antepassados animais; lá, onde a distinção entre o mundo dos vivos e o mundo dos mortos é apagada, onde os mortos não são mais enterrados, mas expostos em vitrines em troca de uma entrada salgada, morre talvez a história da nossa cultura e a espécie do *homo sapiens* ou se transforma, no mínimo, em algo radicalmente diferente, assumindo uma forma certamente menos nobre. Em todo caso, interpretei essa exposição como um sinal que não pode ser simplesmente ignorado ou considerado uma assombração passageira; pois esse evento transmite algo muito importante – e, na minha opinião, alarmante – sobre aquilo que está acontecendo com o ser humano e o mundo neste momento.

Eu gostaria de saber se os pais, que foram tão bem-sucedidos em sua tentativa de proteger seus filhos da visão das feias feridas de Cristo na cruz, também vedaram os seus olhos diante dessas imagens onipresentes ou se celebraram essas imagens como triunfo do Esclarecimento, que substitui o obscurantismo religioso pelos seus próprios símbolos.

Não se passou um ano, e a exposição *Bodies* chegou a Praga. Na verdade, não era a mesma exposição de Berlim, mas seu gêmeo; dois empreendedores norte-americanos já haviam se processado mutuamente várias vezes, cada um se gabando de ter desrespeitado mais tabus do que o outro, de ter satisfeito as fantasias mais mórbidas e arrecadado o maior lucro: enquanto a exposição de Berlim havia montado um morto num cavalo despelado e mostrado uma mulher grávida com o fruto morto em seu ventre, seu concorrente entretia seu respeitado público em Praga com corpos em posturas grotescas e cômicas como, por exemplo, a de um jogador de vôlei: aqui, aqueles que haviam voltado para Deus, praticavam esporte. Um pouco de humor não faz mal a ninguém, disse o curador da exposição com uma expressão necrófila em uma entrevista à TV tcheca. Passei algum tempo tentando imaginar o que um terceiro empreendedor precisaria fazer para surpreender o público, superando tudo isso e tentando lucrar ainda mais com a cobiça humana, diante de uma percepção já tão distorcida daquilo que é aceitável: talvez ele alugaria ou venderia corpos como objetos de decoração para o lar pós-moderno?

TV, rádio, imprensa e cartazes de propaganda ao longo das autoestradas se esforçaram ao máximo; o secretário de cultura de Praga, que havia autorizado pessoalmente a exposição no centro da cidade, a elogiou muito – por razões que prefiro não analisar; as filas na frente do galpão de exposições Lucerna, em Praga, foram ficando cada vez mais longas, e o dinheiro encheu os caixas. No rádio, ouvi que o número de pessoas interessadas em doar seus corpos para esse tipo de exposição estava crescendo; lembro-me de ter pensado que esse tipo de exibicionismo necrófilo merecia ser incluído como diagnóstico próprio aos manuais da psiquiatria. Deveria eu me pronunciar publicamente sobre isso, ou não?

Até então, ninguém havia manifestado sua oposição contra a exposição – os tchecos são uma nação tolerante, principalmente em questões em que não deveriam demonstrar qualquer tolerância.

Apenas algumas poucas pessoas perceberam o racismo oculto da exposição – todos os mortos eram chineses. Não importava se seus corpos haviam sido colhidos em prisões e praças de execução para presos políticos, como alegavam alguns, ou se eram simplesmente pessoas que haviam vendido seus corpos para aliviar sua miséria – eram "apenas chineses"; se o empreendedor norte-americano tivesse exposto *norte-americanos* sem apresentar pilhas de autorizações registradas em cartório, ele estaria afundado em tantos processos jurídicos que, para pagar todos os advogados, ele teria de vender sua própria pele a um teatro panóptico semelhante! Deveria eu, então, me manifestar?

Quando, pouco antes, a cantora Madonna apresentou seu novo espetáculo em Praga, durante o qual ela foi amarrada a uma cruz iluminada, nossos superiores protestaram. Agora, permaneciam calados.

Na época, não me manifestei. Em vez disso, rezei pela cantora – também nas orações intercessórias durante as missas – para que Deus lhe concedesse a dádiva de compreender melhor e de forma mais profunda o símbolo que ela usava em seus espetáculos, e para que Deus lhe desse a força para *carregar a cruz* em sua própria vida. Quem toma da espada, pela espada morrerá, diz Cristo. Talvez isso vale também para a cruz; se alguém brinca com esse símbolo poderoso durante muito tempo, ele talvez terá que constatar com surpresa quão pesada é a cruz real não iluminada.

Talvez os superiores tenham se calado na época porque tiveram que aprender com Madona, que seu protesto serviu apenas como propaganda que aumentou o número de clientes do empreendimento criticado e como oportunidade de, mais uma vez, representar a Igreja como censora mal-humorada, que priva as pessoas daquilo que lhes agrada.

Eu suspeitava que meu protesto provavelmente teria um efeito semelhante. Estava ciente também que não poderia entrar na arena com o dedo erguido moralizante (pois todos tentariam me interpretar assim, independentemente daquilo que dissesse), mas com a munição da ironia e do humor sarcástico. Então, eu me manifestei – e as reações não demoraram a vir.

"Como o senhor se atreve a criticar uma exposição tão linda? Não permitiremos que alguém nos proíba a ter uma opinião própria e nos ordene a ter este ou aquele gosto!", irritou-se um jovem homem num site online. Em sua irritação, ele nem percebeu que, já na primeira oração, ele me negava o direito ao qual ele apelava na segunda, ou seja, ao direito de ter uma opinião própria e de expressá-la. Não, eu não pretendia de forma alguma impor a ele ou a qualquer outra pessoa o que ele deveria sentir ou dizer, muito menos o que deveria pensar; sempre me alegro quando encontro alguém que *pensa*. Eu não só não exigi "o fechamento da exposição" – cabe aos organizadores e aos juristas avaliar se ela viola as leis existentes –, como também não exigi que todos compartilhassem da minha opinião; quis apenas iniciar um debate público, e caso tenha levado alguém a refletir sobre a questão em pauta com sua própria cabeça, mesmo que essa pessoa tenha chegado a uma conclusão completamente diferente da minha, eu me dou por satisfeito. Fiz a minha parte!

Sim, o debate estava lançado, mesmo que nele – como me pareceu a princípio – houvesse uma leve predominância de argumentos semelhantes ao do jovem irritado.

"Como o senhor pode falar sobre uma exposição que nem mesmo visitou?" Mas eu sei o que a exposição mostrava. Se eu tivesse ido à exposição, minha opinião teria sido determinada por meus *sentimentos subjetivos* durante a visita, semelhante à dos meus oponentes, que argumentavam que *haviam gostado* da exposição. Mas os sentimentos, se algo agrada ou não a alguém, dependem de como essa pessoa foi criada e de sua sensibilidade, do fato, por exemplo, de ela ter perdido um ente querido recentemente ou daquilo que ela comeu antes de sua visita à exposição; ou seja, essa opinião expressa algo sobre *a pessoa*, não sobre a exposição! No entanto, não pretendo falar sobre os *sentimentos* que a exposição pode suscitar (cada um tem o direito aos seus sentimentos), mas sobre a *pergunta fundamental* se corpos de mortos podem, ou não, ser expostos dessa forma.

Se os organizadores da exposição decidissem declará-la como "arte", eles teriam um trabalho muito mais fácil de silenciar seus adversários, pois a estética pós-moderna insiste em alegar que não é possível determinar os limites da arte e da não arte, do belo e do abominável, de qualidade e de lixo. No entanto, a lei não permite importar cadáveres como arte, por isso, os executivos espertos decidiram, para circundar as leis sobre o manuseio de restos mortais, declarar seu parque de diversão como instrumento do esclarecimento científico. "Não se trata de *corpos*, são amostras", corrigiu-me o organizador da exposição em Praga durante um debate na TV. Eu havia lhe pedido que traduzisse para os espectadores, que talvez não dominassem a língua inglesa, o título da exposição: *Bodies*.

"A exposição é instrutiva!" Sim; se eu estivesse presente numa execução ou tortura pública, isso, sem dúvida alguma, seria instrutivo para mim e eu aprenderia uma série de detalhes interessantes sobre a psique humana e sobre a reação do corpo humano; mas esse critério não legitima execuções nem torturas. Temos museus anatômicos para informar-nos sobre a anatomia, e lá encontraríamos *amostras* de verdade. No entanto, esses museus costumam estar vazios. Aquele que quer se instruir sobre o processo de morrer e sobre a morte, pode trabalhar como voluntário em unidades de cuidados paliativos ou em centros para doenças graves – no entanto, lá não encontramos longas filas de pessoas interessadas.

Não, as multidões se apertavam ali nas filas não por algum interesse científico, e aqueles que lucravam milhões nos caixas sabiam disso muito bem: eles haviam conseguido chamar atenção quebrando um tabu. Mas nem todos os tabus são insensatos, nem todo traspasse de limites é bom.

"Mas olha quem está abrindo a boca! Logo a Igreja, que também expõe restos mortais! O senhor nunca viu os santos nas igrejas em caixões de cristal?" Sim, eu já vi, no entanto – para usar uma anedota famosa[127] –, não podemos comparar essas duas coisas. Eu pessoalmente não sou fã de relíquias de santos; e se, algum dia, eu mesmo fosse canonizado, eu preferiria servir de alimento aos vermes do que ter meu corpo repartido como aconteceu com meu padroeiro, Santo Tomás de Aquino; certamente não me agradaria ver lá dos altos do céu como partes do meu corpo acumulassem poeira nas sacristias e fossem beijadas justamente pelo tipo de senhoras idosas que não me suportaram quando ainda vivia. Mesmo assim, ajoelhei-me mais de uma vez diante do caixão da minha santa preferida; ela está deitada ali em seu hábito com uma máscara sobre o rosto. Se a despelássemos e lhe déssemos uma bola de vôlei para brincar, se a estampássemos em cartazes ao longo da autoestrada, se a apresentássemos como atração e enriquecêssemos com ela: sim, isso seria algo bem diferente. Será que é realmente tão difícil, distinguir entre essas coisas?

"E o senhor viu os ossários nas criptas das igrejas barrocas?" Sim, vi também estes. Mesmo que meu gosto – e, creio, o da maioria dos cristãos de hoje – seja bem diferente do que o do Barroco em relação a isso, sou capaz de ler e entender a inscrição na entrada: *Memento mori!* Dispa-se do seu orgulho, não se eleve acima dos outros – você se aproxima do lugar em que todos nos tornamos iguais! Aproveite com sabedoria o tempo que passa, não adie suas boas intenções, pois quando você se igualar a estes que aqui estão, você não as realizará mais! Essa é a mensagem das abóbadas barrocas. Mas qual é a mensagem daquela exposição? "Vejam o que estou disposto a transgredir e violar para lucrar muito e atrair a atenção das mídias durante uma semana!"

---

127. Na entrada da sinagoga havia uma inscrição: Entrar com a cabeça descoberta é como cometer adultério! No dia seguinte, alguém havia escrito ao lado: Eu fiz ambas as coisas, e sei que elas não podem ser comparadas!

Ou será que a mensagem da exposição – além da intenção superficial e pouco criativa dos organizadores – é mais profunda e, ao mesmo tempo, mais assustadora?

As pessoas passaram horas e horas naquela fila, não só porque a exposição estava sendo muito comentada na TV e nos bares. O mistério da morte e tudo vinculado a ela exercem uma atração natural sobre o ser humano. Já Platão escreveu na "Politeia" – como que prevendo a exposição que aconteceria dois milênios e meio mais tarde – sobre os sentimentos ambíguos das pessoas, que viam os cadáveres humanos ao pé do muro da cidade – elas sabem que *não devem* olhar, mas a vista não as deixa em paz, ela as atrai, é mais "forte do que elas".

Aquele fascínio sedutor da morte e de seus atributos consiste no fato de que, na morte, ficamos diante da porta de um mistério. Não podemos ver o que está por trás daquele muro. Todos – ateus e cristãos, judeus e muçulmanos – são "crentes" diante desse mistério, que *acreditam* em sua interpretação daquilo que será depois da morte. Jamais alguém poderá fornecer uma prova ou refutação definitiva, mas a curiosidade humana não quer esperar. E assim, tudo relacionado à morte nos atrai, desejamos ver pelo menos um raio de luz que passe por aquela porta, que acaba de se abrir para outra pessoa e que volta a se fechar imediatamente após sua passagem.

Talvez a morte, num mundo em que a indústria onipresente do entretenimento barato absorve, banaliza, profana tudo, seja a última ilha do mistério que talvez não provoque medo, mas temor. Mas veja só: agora, a própria morte veio para fazer parte do parque de diversão do entretenimento! Em troca de um bom dinheiro, você pode satisfazer sua curiosidade e mostrar aos seus filhos (que só pagam meia-entrada!) pessoas mortas que se divertem jogando vôlei, expostas como macacos nas jaulas de um zoológico nessa vitrine do materialismo levado ao absurdo. O que esses *voyeures* de um *strip tease* total, que priva os mortos do último restinho de sua dignidade e de sua pele, querem ver senão o fato de que a própria morte, com um gesto elegante e jocoso, se despe da última camisa de seu mistério?

"Aqui não há nada!" exclamaram em tom de zombaria os anatomistas materialistas do início da Modernidade em direção aos investigadores de almas, quando desmembraram pela primeira vez corpos humanos durante espetáculos públicos. "Aqui não há nada!", exclamaram os cientistas naturais em direção aos seguidores de Deus, quando dissecaram o desenvolvimento do Universo e da humanidade com suas facas e tesouras de suas teorias. "Aqui não há nada!", exclamam os executivos desse circo mórbido em direção daqueles que estão à procura do sentido último da vida e da morte, transformando a morte nua e banalizada em uma amostra e mercadoria. Nada, nada, nada, aqui não há absolutamente nada!

Deus é um nada neste mundo – e o ser humano também precisa se reduzir ao nada para encontrá-lo nu. Mas não foi *isso* que você quis dizer, não foi, Mestre Eckhart?

Quando vi as fotos das duas exposições, disse a mim mesmo: É assim que deve ser o inferno – uma *despersonalização* total, a despersonalização do ser humano. Nenhum caldeirão borbulhante, nenhuma alma sendo tostada, nenhum grito das câmaras de tortura, como a imaginação barroca gostava de representar o informo. Em vez disso: silêncio. Não o silêncio meditativo das igrejas ou dos cemitérios cristãos, antes a ausência total de qualquer comunicação: Esses mortos não têm nome nem rosto; nada, nenhuma informação remete à sua biografia. De certa forma, aquele executivo estava certo ao dizer que aquilo, na verdade, não eram corpos – não são corpos que expressam uma identidade pessoal (é por isso que o cristianismo insiste tanto na "ressurreição *do corpo*"!); são realmente *amostras* anônimas. Os seres humanos se transformaram em amostras, em objetos interessantes, que podem ser observados e expostos, instrutivos para alguns e talvez divertidos para outros. Corpos sem rostos deixam de ser imagens da alma, eles não refletem qualquer coisa, não remetem a qualquer coisa além deles mesmos, estão realmente "nus" – sem nome, sem história. São um número no catálogo, como o eram também os presos nos campos de concentração.

O corpo nu na cruz tem sua história – ele é uma referência profunda, inesgotável em seus ricos significados (como testificam aqueles que, durante dois milênios, meditaram diante dele); ele é *um ícone* – uma janela, que se abre para a vista meditativa do mistério do Pai e do mistério da dor humana[128]. Se esse signo deixa de nos dizer algo, deixa de falar conosco, porque já não conseguimos ou queremos mais ouvi-lo, porque já se tornou um objeto de decoração convencional no canto pio da nossa casa ou se transformou em logotipo de uma "herança cultural" – para outros talvez até em uma "coisa feia" – então seja talvez natural que cada vez mais pessoas exijam que a cruz seja retirada das paredes. Temo, porém, uma coisa: que o espaço liberado seja ocupado por corpos sem rostos e sem nomes.

Nas igrejas, nossos antepassados rezavam diante da cruz com a figura do homem com o coração traspassado: "Faz nosso coração igual ao teu!" Caso os parques de diversão daquela exposição mórbida e o entretenimento tosco se transformem nos templos do futuro, dificilmente escaparemos do perigo de outra transformação: é possível que, nesses templos, nós mesmos comecemos a nos parecer com objetos e coisas, com amostras e mercadorias sem valor, que podem ser trocadas por outras.

---

128. Cf. mais sobre isso (e sobre a "teologia do ícone") no capítulo "Verônica e o selo da face".

10
Noiva linda, igreja miserável

Lembremo-nos mais uma vez da lenda de São Martinho, que, na aparição brilhante de Cristo, reconheceu na ausência das feridas o disfarce enganoso do anticristo.

Se eu me deparasse com uma igreja bem-sucedida e muito influente, brilhante em virtude de seus méritos incontestados nas áreas da caridade, da política e da cultura, com líderes, teólogos e administradores maravilhosos, respeitada e honrada por todos, uma igreja sem manchas, sem ranhura e cicatrizes dolorosas, eu me assustaria tanto que fugiria dela, pois teria certeza de que se trata de um truque diabólico. Se começasse a ansiar uma igreja desse tipo, eu rezaria o exorcismo. Se me deparasse com uma igreja evangelicamente pobre, repleta de humildade e santidade de todos os seus membros, não oferecendo qualquer motivo de escândalo para ninguém, sim, se me deparasse com aquela noiva linda, "a Igreja sem mancha, santa e irrepreensível", da qual lemos nas Escrituras[129], eu reconheceria que os maquiadores infernais se esforçaram ainda mais. "Onde estão tuas feridas?", eu perguntaria. Onde estão todos os sinais da nossa fraqueza, pecaminosidade e incredulidade humanas? Onde está a terra empoeirada e lamacenta da nossa existência humana, na qual Deus plantou a semente de sua Palavra e da qual ele formou o ser

129. Cf. Ef 5,27.

humano? Onde está a terra eternamente impura e desorganizada, para a qual Ele enviou sua palavra e *a fez carne*, seu Filho, e da qual é formada também o *seu corpo místico*, a Igreja – pessoas como você e eu? Não é também a *paciência* um elemento essencial da lealdade que somos obrigados a cumprir em relação a Cristo e à sua noiva, a Igreja? Não é ela que nos dá a força para resistir a todas as promessas ilusórias segundo as quais veremos e vivenciaremos a "Igreja sem manchas, santa e irrepreensível" já aqui e agora – e não apenas no fim dos tempos, como nos foi prometido?

Assim como a divindade do Filho está oculta na cruz e assim como a divindade do Pai pode se ocultar também no silêncio aterrorizador da Sexta-feira Santa, a autenticidade da Igreja de Deus permanecerá oculta até o início da eternidade nas ambivalências da nossa existência humana; sempre existirá aqui uma igreja humana – quase *humana* demais e, às vezes, também desumana, pois os humanos podem ser também desumanos – sempre existirá aqui uma *igreja que fere e que é ferida*.

Podemos esperar apenas que a Igreja – pelo menos em nosso tempo – não seja tão ferida quanto foi ferida nos circos dos antigos romanos ou sob as guilhotinas dos adeptos do progresso e da humanidade ou nos campos de concentração e nos pátios de execução do nacional-socialismo e do comunismo, das revoluções mexicana, espanhola, russa, chinesa, cambojana e cubana. Creio que podemos ter certeza de que a própria Igreja não ferirá e assassinará mais seus filhos e suas filhas e não pretenderá (e felizmente não poderá) mais revoltar o mundo como nos tempos de suas alianças indizíveis com o poder, que, graças a Deus, fracassaram todas.

Mas a Igreja verdadeira de Cristo, formada por pessoas como você e eu, no meio de um mundo repleto de pessoas como você e eu, sempre será ferida de alguma forma e também ferirá – e é justamente nesse *tipo duplo* de feridas que podemos distingui-la da prostituta Babilônia do Apocalipse, que se veste de púrpura e escarlate e se adorna com pérolas, maquiagens e perfumes da aparente perfeição do salão de beleza *Satanás e filhos*. Sim, esse tipo duplo de feridas nos permite distinguir a Igreja real, atual, que avança (e, às vezes, é arrastada) pelos caminhos tortos da história contemporânea, daquela figura brilhante e sem máculas que nos é prometida para os *últimos dias*. Nos "penúltimos dias", no nosso tempo, nem mesmo a mais bela ilusão, que nos é apresentada para nos enganar, segundo a qual esse tempo já teria vindo, consegue ser mais do que uma pobre caricatura dela.

As feridas, com as quais a Igreja fere e é ferida ao mesmo tempo, não são, muitas vezes, as mesmas? Quando pensamos nos escândalos dos padres, que certamente não são as únicas e talvez nem sejam as piores feridas abertas da Igreja Católica atual, mas certamente são as feridas mais visíveis graças aos reflexos no interesse midiático, fica evidente que, por meio dos atos dessas pessoas, a Igreja fere e é ferida ao mesmo tempo. Ela fere as vítimas desses atos, mas também a expectativa das pessoas que não fazem parte da Igreja – e não só aquelas expectativas irrealistas e ilusórias de uma igreja sem máculas, que logicamente precisam ser frustradas e feridas; ela fere também a expectativa perfeitamente legítima que espera credibilidade e confiabilidade daquelas pessoas que – como diz um provérbio tcheco – *quando alguém prega água, ele* (a despeito de todas as suas fraquezas) *não deve beber vinho*. Ou em outras palavras: exigimos com todo direito que aqueles que guardam um bom vinho não podem servir água suja e envenenada.

De forma alguma pretendo dizer com isso que devemos resignar em nossos esforços de corrigir os erros da Igreja. Eu poderia, de experiência própria e imediata, aumentar em muito a lista de erros apresentada pelos críticos da Igreja; talvez eu tenha conseguido demonstrar pelo menos um pouco, por meio de algumas iniciativas e numa série de conflitos, que eu levo a sério o princípio agostiniano de uma igreja "sempre reformanda", de uma igreja que deve se renovar constantemente. No entanto, preciso advertir contra a ideia ingênua e da utopia zelota perigosa, segundo as quais essa obra produzirá soluções visíveis neste mundo e neste tempo (*saeculum*).

Nós, os tchecos[130], descendemos de uma região e do sangue dos hussitas – e não é o estado religioso atual da República Tcheca um fruto tardio (e muito paradoxal) daquele zelotismo hussita, num sentido um pouco diferente daquele que costuma ser atribuído a ele? Não são a frustração religiosa, o afastamento e a indiferença muitas vezes apenas o outro lado e uma consequência das expectativas exageradas, dos esforços irrealistas e do amor, do entusiasmo e do zelo? (Não purificados pela paciência escatológica da fé.)

Na transição da infância para a idade adulta, eu me apaixonei pela figura de Jan Hus. Ele foi, talvez, o primeiro da série de meus heróis, que se pareciam muito uns com os outros: nunca eram guerreiros e conquistadores, mas sempre homens capazes de se levantar contra uma maioria, contra a opinião pública, contra o poder, apoiando-se apenas na força de sua consciência.

Graças à educação que recebi da minha família, jamais – creio que nem mesmo por um instante – fui mordido pela ideologia comunista. Mesmo assim, engoli, evidentemente *bona fide*, a imagem de Hus criada pela propaganda ateísta comunista: Hus, um lutador contra a Igreja Católica. Odiei passionalmente a Igreja Católica, da qual eu nada sabia e não conhecia de experiência própria, durante alguns anos da minha puberdade. Talvez por isso compreenda melhor por que muitos dos meus colegas e conterrâneos estão cobertos de espinhas de ódio contra a Igreja Católica, ou melhor, contra *a*

---

130. Mesmo que este texto fale muito sobre as condições da República Tcheca e da Igreja tcheca, creio que seu conteúdo possa interessar também a outros países. Pois ele mostra que existem diferentes tipos de feridas, de indiferença e também de "não indiferença", que dependem de desenvolvimentos nacionais, culturais e políticos. Ele revela também correntezas mais profundas, que, nos séculos XX e XXI, afetam pessoas em todos os países e culturas.

sua própria concepção – adotada de forma acrítica – *da Igreja*, sim, contra tudo que se chame de católico. Eu mesmo passei por essa fase em minha puberdade.

Apenas após muitos anos, consegui compreender que, na verdade, o que motivou Hus em seus esforços era seu *amor louco* pela *sua Igreja*, a Igreja Católica (pois não existia outra, e jamais pretendeu criar uma outra), e que ele empreendeu todos os seus esforços críticos para reformar a Igreja porque a amava. Ele estava loucamente apaixonado pela visão escatológica de uma igreja linda sem máculas morais (das quais ele viu muitas ao seu redor), sem "o fermento dos fariseus" (que, também em seu tempo, crescia muito nas padarias da Igreja). Ele labutou, sofreu e morreu por essa visão – mesmo que o caminho da sua paixão no Concílio de Constança não tenha sido tão reto e inequívoco quanto alega a tradição daqueles que se apoiam em Hus. Esse sofrimento foi antes um produto secundário lamentavelmente emaranhado de um conflito complexo entre os mais diversos interesses e ideais, políticos, universitários, estatais e eclesiásticos da Europa de então. Devemos ter em altíssima consideração o fato de que, para ele – e ao contrário das gerações posteriores de seus adeptos –, a visão de uma igreja sem máculas jamais serviu como catalisador do ódio, que causou o derramamento do sangue de culpados e inocentes.

Muito tempo após meu entusiasmo infantil por Hus e minha conversão à Igreja Católica, investi bastante tempo e energia no esforço de levar a Igreja Católica a pronunciar o nume de Jan Hus com mais respeito e a condenar de forma inequívoca a violência que ela havia cometido contra ele na época. Anos depois, posso dizer que isso aconteceu em grande medida, e talvez eu tenha contribuído um pouco para isso. Mas quando ouço ainda hoje que Hus deveria ser não só "reabilitado" (um conceito um pouco infeliz e enganoso nesse contexto) pela Igreja, mas também canonizado, preciso objetar. Não tenho certeza se Hus, a despeito da pureza inquestionável de seus propósitos e da motivação santa de seus esforços – ou talvez justamente por causa delas –, não caiu na armadilha de determinada "heresia". Talvez não na heresia da doutrina (essa avaliação cabe aos especialistas da teologia medieval), mas na "heresia do idealismo moral": heresia esta que não ameaça as pessoas ordinárias; esta tentação é reservada aos melhores.

E mais: pergunto-me se Hus – que logo se transformou em "arquétipo do ideal tcheco", em um ícone altamente venerado, em uma projeção de como nós tchecos gostamos de ver a nós mesmos – não introduziu o vírus desse idealismo na cultura tcheca, na nossa história, no organismo espiritual da sociedade (se é que algo desse tipo exista). Não acredito na quimera de um "caráter nacional", existe, porém, determinado *clima moral*, uma memória comum e uma comunidade dos valores tradicionais. Evidentemente, estes mudam ao longo da história – às vezes, alguns motivos desaparecem e outros voltam. Mesmo que a expressão "Nós somos uma nação de hussitas" tenha sido uma frase risível e vazia já na época em que a expressão surgiu em editoriais políticos (e ainda mais hoje), o "motivo hussita" não se cansa de aparecer em muitas variações na sinfonia da nossa história. Talvez aquele tom sarcástico, plebeu e um tanto cínico, que também encontramos na nossa cultura (de forma mais explícita provavelmente no romance de Hašek sobre o bom soldado Schweijk) seja nada mais do que uma defesa instintiva contra esse *pathos* "do idealismo moral".

Aquele idealismo moral e o rigorismo moral, que dele resulta, aquelas expectativas exageradas e exigências excessivamente duras, porém, causam muitas vezes frustração, enfado e resignação. Quem se satisfaz apenas com o melhor não preza o bom; quem se satisfaz apenas com um parceiro ideal não preza aquele que tem; muitas vezes, o relacionamento, que poderia ser bom, se transforma em um inferno de acusações e decepções ininterruptas, e, muito provavelmente, ele não persistirá.

Os tchecos aplicam os altos padrões hussitas não só à Igreja (para então chegarem à conclusão inevitável que a Igreja, por não ser ideal, não presta para nada), mas também à política. Sem querer defender uma postura acrítica ou a desistência de reivindicações e princípios fundamentais, mas quando ouço nos bares aquela lamentação permanente e generalizante, não diferenciada sobre tudo e todos na política democrática, eu fico um pouco sem jeito. Encontramos esse choro já na publicidade da primeira república, na jovem democracia da Tchecoslováquia, e aqueles lamentos se parecem muito com os de hoje. Não surpreende, portanto, que os tchecos resistiram tão pouco quando, nos anos do pós-guerra, aos poucos lhes foram roubando a liberdade e a democracia até que, no início da década de 1950, nada mais lhes restava (situação esta que permaneceria durante meio século). Não surpreende também que os mais diversos restos de preconceitos, injúrias e ressentimentos contra a democracia e a Igreja, que, desde os tempos do totalitarismo, sobreviveram nas cabeças de tantas pessoas (também daquelas que hoje se distanciam claramente do comunismo) – e às quais todos os erros inegáveis da democracia e da Igreja – dos quais sempre existiram, existem e existirão muitos – servem apenas como um argumento bem-vindo para seus julgamentos generalizantes e, por isso, injustos.

Enquanto desfruto da tranquilidade da eremitagem sem qualquer conexão com o mundo externo, meu país discute passionalmente sobre a restituição dos bens da Igreja, sobre a propriedade da Catedral de São Vítor em Praga etc. Infelizmente, conseguiram introduzir à surdina essa briga nas cabeças do público tcheco, de forma que ela é automaticamente associada aos conceitos de Deus, fé e Igreja. Já que, para mim, é muito importante ressaltar que esses conceitos pretendem suscitar perguntas muito mais profundas e essenciais, eu decidi não participar dessa discussão e não manifestar minha opinião. Em primeiro lugar, não disponho da competência necessária para discutir perguntas referentes à situação econômica e jurídica da Igreja; em segundo lugar, não quero alimentar a impressão de que a Igreja na República Tcheca se interessa apenas por questões de posse e propriedade. Se agora, neste livro, que medita sobre as feridas de Cristo, no capítulo sobre as feridas de sua Igreja, tocar nestas perguntas, certamente não o faço para sugerir alguma solução prática. Antes vejo nesse conflito um exemplo daquilo que já mencionei acima – um exemplo da confusão entre a imagem ideal da Igreja como noiva escatológica e a realidade da Igreja, que precisa ser vista como peregrina, com os pés sujos da poeira de nossos caminhos. Entristece-me o fato de que a Igreja tcheca se feriu desnecessariamente neste debate excitado e (talvez involuntária e inconscientemente) causou também uma série de ferimentos e irritações[131].

---

131. A esta altura, talvez seja necessário explicar o que está em jogo neste momento, em que escrevo essas linhas (agosto de 2008): a princípio, o Estado tcheco se vê hoje diante de duas possibilidades – ou ele acata de alguma forma a lei recentemente sugerida (e devolve à Igreja parte de suas propriedades e paga a outra parte na forma de serviços e bens a longo prazo) ou continua a cumprir a obrigação de assumir todas as atividades da Igreja – aquelas obrigações que ele assumiu no momento em que confiscou as propriedades da Igreja, que continuam na posse do Estado. A terceira possibilidade – no espírito do lema de Voltaire: "Esmaguem a infame!" – defendida em muitos projetos radiciais do parlamento, em artigos e cartas de leitores nos jornais (e que, aparentemente, agrada a grande parte da sociedade), i. e., de não devolver nem pagar qualquer coisa à Igreja, de "esfomeá-la", não é uma opção viável, pois isso levaria à exclusão da República Tcheca da lista dos Estados de direito, e isso é algo que ela, em vista da existência de tribunais internacionais e do emaranhamento complexo com o resto do mundo civilizado, simplesmente não pode arriscar. Os oponentes à primeira solução apresentam ao público um número, que representa uma soma a ser paga durante seis décadas, inclusive ajustes inflacionários, sabendo de seu efeito psicológico: quando o cidadão (já convencido de que o Estado pretende "doar" essa soma "generosamente" à Igreja) imagina quantas garrafas de cerveja ele poderia comprar com essa soma, seus pensamentos, tomados de inveja e ódio revolucionário, se obscurecem, e em sua mente despertam, como Václav Kopecký, ministro do governo stalinista após a tomada de poder em 1948, gostava de dizer, os "instintos hussitas do nosso povo". Os defensores da segunda solução parecem não estar cientes do fato de que o Estado assumiu a obrigação de bancar todas as atividades da Igreja naquele momento em que proibiu praticamente todas as suas atividades, jogando milhares de seus funcionários na prisão. Bancar, a longo prazo, as atividades das igrejas, que aos poucos se aproxima do nível do trabalho da Igreja em sociedades livres e civilizadas, pode ser muito mais caro e tornar-se insuportável. Mas obrigar as igrejas a limitar sua vida ao espaço da igreja e da sacristia como no tempo da não liberdade – mesmo que muitos possam gostar da ideia de uma igreja amputada – já não é mais possível.

Eu me converti à Igreja numa época em que esta havia sido privada de todos os bens e de todo o poder, e é esta a Igreja que aprendi a amar. Nela, trabalhei muitos anos como padre, que não só jamais foi pago pelo seu trabalho, mas que também não podia imaginar que isso poderia mudar em algum momento. Se Cristo me perguntasse hoje sobre esses tempos passados, assim como Ele perguntou aos apóstolos após enviá-los sem qualquer garantia em sua primeira viagem missionária: "E algo lhes faltou na época?", eu lhe responderia: "Nada me faltou". Creio ser o último que desejaria uma igreja rica e poderosa. Por outro lado, sou realista o bastante para saber que, como Igreja, não podemos ficar olhando romanticamente para o passado dourado na resistência. Sei que a Igreja precisa de outras condições econômicas e jurídicas para o seu trabalho diante de sua posição completamente diferente num país relativamente desenvolvido, rico e democrático e que é necessário finalmente fazer algum progresso nessa questão em nosso país.

Mas o que um teólogo pode contribuir para esta discussão, em quais passagens da Escritura ele pode apoiar suas sugestões? Ateus convictos "citam" nesse conflito constantemente "a Bíblia", segundo a qual *a Igreja deve ser pobre*, e por isso exigem que o Estado não "dê" qualquer coisa à Igreja. No entanto: não é isso que está escrito na Bíblia. O Senhor Jesus bendiz os pobres, aqueles que possuem "o espírito da pobreza", mas Ele não nos deixa quaisquer instruções concretas para a definição da relação da Igreja com o Estado ou para o financiamento das atividades da Igreja. Tampouco Ele instrui o Estado a financiar a Igreja, mas também não diz que ele deve confiscar as propriedades da Igreja e recusar sua devolução. Quando alguém na Igreja decide seguir o exemplo do Cristo pobre e distribuir todos os seus bens entre os pobres, isso é louvável, bom e santificador, mas trata-se de *uma opção pessoal*, que nada tem a ver com o Estado. A obrigação do Estado não é garantir que a Igreja ou qualquer outro grupo de cidadãos seja pobre; ao contrário, a obrigação do Estado é garantir a maior prosperidade possível entre o maior número possível de seus habitantes, sem distinção de gênero, raça ou religião.

Nem a bem-aventurança dos pobres nem a descrição do "comunismo apostólico" narrado pelos Atos dos Apóstolos[132] – e que talvez realmente tenha existido durante algum tempo na jovem congregação de Jerusalém, em uma expectativa equivocada do rápido fim do mundo e da Igreja como noiva escatológica – podem servir como solução.

Creio antes que, nesse contexto, uma outra palavra seja mais importante: *Não vos preocupeis!* Não vos preocupeis com o que comereis e bebereis, nem com o que vestireis...

Será que fiquei louco? Talvez não. De forma alguma estou incentivando os legisladores, sejam eles cristãos ou não, tenham eles uma relação pessoal com a Igreja ou não, a não buscarem uma solução justa e sensata para essas perguntas – bem ao contrário: essa é sua responsabilidade moral e política, que ninguém pode tirar deles. De forma alguma, estou incentivando os bispos a pararem de encontrar soluções com a ajuda de especialistas para todas as situações que possam surgir, pois é sua obrigação cuidar da "economia de Deus" não só no sentido limitado à espiritualidade, mesmo que esta deve ser sua preocupação *primária*. Mas aqueles que são obrigados a se ocupar com essas coisas não o devem fazer com uma postura *temerosa*, nervosa, que pode levar a erros e, às vezes, a atos e posturas agressivas e infelizes ou até mesmo *não cristãs*.

Não se preocupar significa saber que – independentemente do resultado desse conflito – tudo ficará bem, ou melhor, que tudo *pode* ficar bem (pois é possível que nem tudo ficará bem) – em *todos* os casos. E não digo isso para que cruzemos os braços e esperemos passivamente pelo fim do conflito, bem pelo contrário: digo isso para que permaneçamos atentos e estejamos preparados para optar pelo bem e minimizar os riscos do mal em todo caso *possível*. Pois podem

---

132. At 4,32-35.

ocorrer variantes diferentes, e nossas respostas a elas também precisam ser diferentes.

Se, no futuro breve, a Igreja estiver relativamente segura, isso certamente será uma vantagem, pois poderá fazer muitas coisas boas e importantes para a sociedade. Mas pode ser também muito ruim, caso a Igreja não aprenda a administrar seus bens (no passado, ela conseguiu fazer isso de forma extraordinária, mas durante duas gerações ela não teve a oportunidade de praticar isso), e caso ela se permitisse uma postura de triunfalismo ou copiasse *exageradamente* o convívio corrupto com a propriedade, que hoje infelizmente observamos por toda parte. Podemos ter certeza de que haverá casos de corrupção na Igreja, tanto quanto podemos ter certeza de que sempre encontraremos pedófilos entre os padres (como também entre os professores ou líderes de escoteiros), e também traidores e espiões na Igreja (e em toda a sociedade) em tempos de perseguição. Talvez devamos apenas tentar limitar ao máximo o número desses casos. Aquele que se escandalizar com esse fato (mesmo que apenas no sentido de usar isso como argumento para justificar seu próprio desleixo moral ou sua resignação ou seu abandono da Igreja) tornou-se vítima da heresia daquele idealismo moral – ele exige a Igreja celestial no lugar daquela Igreja terrena, ferida e suja, criada por seres humanos como você e eu, que Deus nos deu.

Se a Igreja não receber os recursos necessários, como é comum no mundo civilizado, para poder agir na sociedade – se, por exemplo, o estado realmente lhe negar grande parte das posses confiscadas –, então os cristãos, que, na República Tcheca atual, provêm principalmente de camadas sociais mais fracas, não teriam condições de financiar adequadamente as atividades da Igreja *ad extra*. E isso pode ser bom ou ruim – dependendo de como a própria Igreja lidará com esse desafio nada fácil. Nesse caso, é muito provável que a Igreja sobreviveria às margens da sociedade – e isso só seria ruim se resultasse em resignação. (Não há nada que possamos fazer!) Seria bom se ela aceitasse essa situação na força da fé e começasse a procurar de forma criativa novas maneiras de *viver sua fraqueza a partir da força da cruz de Cristo.* Se ela realmente aceitar sua situação às margens da sociedade – sem a mágoa de ter sido tratada injustamente – e (com a ajuda de uma reflexão teológica e espiritual sincera e consciente sobre essa situação) a compreender como "sinal do tempo" e desafio verdadeiro, ela poderá extrair dessa "ferida" até forças curadoras para terceiros. Não precisa essa "sociedade em voo rasante" uma alternativa crível para seu estilo de vida e um espelho crítico que se opõe às suas seguranças e seus ideais? E não precisarão os pobres, *que sempre estarão entre nós*[133] (também em nossa "sociedade de alta velocidade"), de algo além da mão caridosa dos ricos e o serviço assistencial perfeitamente organizado, i. e., o calor humano? Este, porém, só pode ser oferecido ao pobre por alguém que contempla a pobreza não só da posição de sua própria segurança material.

Essa possível variante da "Igreja às margens", porém, não será muito proveitosa para a sociedade como um todo – pois o espaço esvaziado não será ocupado por um novo "ateísmo científico" (o ser humano é uma "criatura incuravelmente religiosa"), antes ele será conquistado por "religiões substitutas", inclusive por seitas muito problemáticas[134]. Para a própria Igreja, porém, essa situação pode oferecer certas chances.

Talvez a forma e a característica verdadeira do "estilo de vida cristão" não seja a pobreza em si, mas aquela abertura e flexibilidade, a arte – segundo as palavras e os atos do Apóstolo Paulo – de *viver na abundância e também na necessidade*, a arte de aceitar e transformar

---

133. Cf. Mt 26,11.

134. Pode acontecer também algo semelhante ao que transpareceu na chamada "Kurimer Causa": Em 2008, num processo contra algumas mulheres, que haviam torturado crianças com grande brutalidade, veio à luz que elas haviam agido sob a influência de uma seita, que as havia obrigado a esse estilo educacional "dos eleitos"; as mulheres haviam sido expostas a tamanha "lavagem cerebral" que os sentimentos e instintos maternais e humanos haviam sido abafados.

qualquer situação que a vida (o próprio Deus) ofereça a nós como Igreja e indivíduos.

~

Quando reflito sobre a Igreja, sempre me lembro da palavra bíblica segundo a qual possuímos o tesouro que nos foi confiado aqui na terra apenas "em vasos de barro"[135]. A Igreja como noiva linda e sem máculas é para nós uma promessa escatológica. Essa figura sua é invisível aqui, assim como são invisíveis o futuro e Deus – e aquilo que vemos dela muitas vezes encobre essa figura em vez de nos aproximar dela. Mesmo assim, pergunto-me com frequência por que Lutero, que escreveu palavras tão maravilhosas, profundas e corajosas sobre o Deus que se manifesta *sub contrario*, em paradoxos, que esconde sua força na fraqueza, a beleza na feiura, a santidade no pecado, não usou a mesma "chave hermenêutica" em sua doutrina sobre a Igreja e em sua postura prática em relação à feia "igreja do papa". Mas como podemos julgar alguém cujo tempo e situação não vivemos? Quando estudamos a história da Igreja – principalmente o tempo de Hus ou Lutero – precisamos às vezes admitir: Graças a Deus pela Igreja do nosso tempo – a despeito de todos os escândalos e cicatrizes! Graças a Deus pelo papa do nosso tempo; graças a Deus também pelo fato de encontrarmos pessoas ao longo da nossa vida que foram testemunhas de fidelidade a Cristo e à Igreja também em anos de sofrimento, que representaram o lado mais confiável e crível da Igreja – com o testemunho de seu próprio sangue e de suas próprias feridas.

O lugar em que transparece pelo menos um pouco na realidade deste mundo e desta Igreja, que, às vezes, parece imergir demais nessa "realidade" a "Igreja invisível" em sua beleza prometida não são, normalmente, suas estruturas institucionais e seus catecismos,

---

135. 2Cor 4,7.

mesmo que estes certamente sejam necessários. Para muitos, também não são a beleza e a força escondidas nos símbolos da liturgia e dos sacramentos. O lugar *são antes os santos*, também os não populares ou canonizados, sobretudo aqueles em cujas feridas os dois significados da palavra *martyr* – testemunha e mártire – se fundem. Eles testificam que a beleza graciosa da noiva de Cristo não é apenas uma promessa vazia e enganosa. Por meio deles, essa realidade invade a nossa realidade inferior. Por meio deles, o futuro escatológico derrama sua esperança nos medos e nas preocupações do presente. O que faríamos sem eles? Nós conseguiríamos persistir em nosso caminho, se não fôssemos encorajados de vez em quando ouvindo algumas notas da música do salão do banquete nupcial, desse salão que é a nossa meta, ou quando sentimos o aroma daquele vinho que Deus, o bom vinicultor, reservou para aquele momento?

Extra Ecclesiam nulla salus – fora da Igreja não existe salvação! Como me torturei com essa sentença de São Cipriano, como protestei contra essa afirmação aparentemente tão arrogante! Como poderia conciliá-la com aquela visão completamente diferente de igreja, com aquela que me havia levado para a Igreja, com a doutrina do Concílio Vaticano II, segundo a qual a Igreja é o sacramento (ou seja, um símbolo, uma promessa e, ao mesmo tempo, um instrumento) da *unidade de todos os homens* – e que, por isso, já hoje, *todos os homens pertencem a ela de alguma forma*?

O Concílio levou a sério a doutrina sobre a encarnação, segundo a qual cremos que todos os seres humanos são ligados a Cristo já pelo fato de sua humanidade (e não apenas por meio de sua fé). A Igreja como "encarnação continuada", como corpo misterioso de Cristo, como "*Christus totus*", *abrange* de *forma misteriosa* (ou seja, dificilmente visível em sua totalidade no ser humano individual) *todos os seres humanos*. Como sinal de que, no fim (mas apenas no fim, no futuro escatológico), tudo e todos serão unidos em Cristo, ela já estende agora sua mão a todos e se abre para todos, também para aqueles que se encontram longe de seus limites visíveis (institucionais). Por meio dessa doutrina, a Igreja sabe-se unida fraternalmente com aqueles que a rejeitam, sem reivindicar ingenuamente que essa postura seja correspondida por eles[136].

Sabemos onde a Igreja está, mas não sabemos onde ela não está, onde se encontram suas fronteiras *verdadeiras*, escreveu o teólogo ortodoxo Paul Evdokimov. E foi justamente essa declaração que me permitiu, de repente, interpretar a famosa sentença de São Cipriano de forma completamente diferente.

Talvez a expressão *Extra ecclesiam nulla salus* responda não à pergunta onde (ou não) podemos encontrar a salvação, mas à pergunta onde a Igreja se encontra (ou não). E ela responde no espírito da "teologia negativa": A Igreja não está onde Deus não age, onde Ele não realiza a sua obra da salvação. Lá, onde Deus está e cumpre sua vocação mais essencial de salvar as pessoas – Ele dá a salvação, lá *está* também sempre e em todos os lugares, durante toda a história, "de alguma forma" também a Igreja. Isso significa: podemos dizer que o inferno é o único lugar onde a Igreja com certeza não se encontra. E já que a Igreja recebeu a promessa de Cristo de que "os poderes do submundo não a vencerão"[137], podemos ter a esperança que ela jamais desistirá de seu chamado para a abertura.

Especialmente no tempo em que eu estava à procura de meu lar espiritual e o encontrei naquela Igreja que estava sendo obrigada a levar uma existência oculta e se encontrava brutalmente isolada do mundo cristão (mas também social e intelectual), foi importante saber que minha nova família espiritual não era uma seita arrogante e fechada. Igualmente importante foi saber que também essa Igreja la-

---

136. Santo Agostinho escreveu: "Àqueles que vos disserem: Vós não sois nossos irmãos, respondeis: Vós sois nossos irmãos" (cf. AUGUSTINUS. *Ennarationes in Psalmos*, Ps 32,29; CCL 38,272).

137. Cf. Mt 16,18.

mentável era parte minúscula, mas integral não só da Igreja Católica espalhada pelo mundo inteiro e não só do organismo rico e colorido de toda a Cristandade, saber que, nessa família da Igreja, eu era "parente" não só de pessoas como Santo Agostinho, Tomé de Aquino, Inácio de Loyola, Pascal ou Madre Teresa – mas também, além disso, e justamente na comunhão da Igreja, por meio de sua misteriosa abertura, eu estava *de alguma forma* (misteriosa, mas mesmo assim real) ligado a pessoas como Platão e Lao-Tsé e também com pessoas que lutam com Deus, como Nietzsche, este "mais pio entre os incrédulos"; saber que eu fazia parte dessas pessoas não só no sentido de uma entidade física ("a humanidade"), mas também no sentido de um organismo espiritual vivo ("a Igreja").

Essa experiência mística do mistério da Igreja, *cuja beleza consiste em sua abertura*, não é ainda mais necessária hoje, num tempo em que os mais diversos fundamentalistas voltaram a reforçar as fronteiras entre as igrejas e as religiões, querendo transformar as comunidades religiosas em fortalezas fortemente armadas?

Assim como as testemunhas de sangue revelam já agora a *veracidade* escatológica da Igreja em meio à sua forma contemporânea, comprometida e corrompida pelos muitos compromissos com "este mundo", assim revelam também aqueles, cuja postura e coração se abrem por meio da paixão para aquela grande unidade, sua *beleza – mesmo que*, muitas vezes, essas pessoas são feridas pelo fato de que a Igreja de hoje se mostra incapaz para este grande e generoso amor. Com cada pensamento, com cada ato por meio do qual eles tentam conduzir a Igreja do isolamento para o espaço da liberdade em Cristo[138], para o caminho de seu amor generoso, que tudo abarca, eles se tornam testemunhas cada vez mais profundas e confiáveis da Igreja de Jesus Cristo como *sacramento* (como símbolo, sinal e instrumento) daquela unidade que todos nós ansiamos no fundo do nosso coração.

---

138. Cf. Gl 5,1.

11
O lugar da verdade é pequeno

Alguns anos atrás, participei de um debate, que costuma ser transmitido pela TV tcheca aos sábados, por volta do meio-dia. Além de mim, participaram a vice-presidente e o vice-presidente dos dois maiores partidos políticos da República Tcheca. Após a gravação, quando o vice-presidente e eu tivemos um momento a sós na escadaria do prédio, eu lhe fiz uma pergunta, da qual eu sabia que, por causa dela, ele me consideraria um extraterrestre, que se perdera no mundo dos conhecedores e experientes; mesmo assim, estava muito ansioso para ouvir sua resposta: "Senhor vice-presidente, agora que nós dois estamos aqui a sós: O senhor também deve saber que aquilo que o senhor afirmou o tempo todo na frente das câmaras não é a verdade?" O político me olhou de cima, com uma mistura de pena e desdém, como um Golias fortemente armado para o pequeno garoto que ousa obstruir seu caminho. "Verdade?", ele repetiu essa palavra com tanto nojo, como seu eu tivesse falado um palavrão. "Meu querido senhor, eu falo aos meus; e os senhor, aos seus." Creio que algo assim deve ter passado por sua cabeça: Nós, os políticos, profissionais experientes, dizemos às pessoas, aos nossos eleitores, aquilo que elas querem ouvir. O que nós queremos é que elas nos deem seus votos e nos garantam nossos salários de deputados e as possibilidades que a democracia nos oferece. Não é para isso que nós bancamos as pesquisas de mercado? As perguntas *O que é a verdade?* e *Como as coisas são de verdade?* não nos interessam. Ela é absolutamente irrelevante, nula. Quem não entender isso não deveria nem ter a ousadia de cruzar nosso caminho. Esse cara pequeno, ingênuo e maluco não deveria se surpreender se alguém tentasse pôr a sua cabeça no lugar!

Percebi que muitas pessoas teriam aplaudido sua resposta: ou porque elas têm e praticam a mesma ideologia e possuem a coragem ou o cinismo necessário para admitir isso sem escrúpulos, ou porque se veem como "realistas", que reconhecem que a política funciona assim e que já desistiram de imaginar alguma possibilidade de que as coisas poderiam ser diferentes: ninguém pode mudar isso!

Mas eu não disse no último capítulo que a democracia – semelhante à Igreja – sempre será imperfeita, construída por pessoas com falhas, erros e tendências negativas, eu não adverti ali contra o *pathos* de um rigorismo moral, de um idealismo que é obrigado a resignar-se na democracia, porque esta possui um governo formado por seres humanos, e não por anjos? Por que o lugar do senhor vice-presidente deveria ser ocupado por um santo ou, no mínimo, por uma pessoa menos cínica e arrogante? Não são os políticos reflexos dos cidadãos, que os elegeram? Não deveria a sociedade, em vez de reclamar e xingar permanentemente seus representantes políticos, reconhecer-se neles?

E, tenho eu o direito de criticar o comportamento dos políticos, se eu mesmo, após cogitar brevemente – durante mais ou menos três anos – a possibilidade de me envolver na política para oferecer um *outro* estilo e *outros* valores, decidi não fazê-lo? Não me junto com isso ao grupo dos resignados, se eu não estiver disposto a abandonar meu querido trabalho ao altar, na universidade e à escrivaninha da eremitagem? Em vez de me oferecer para um cargo político, decidi investir o tempo e a energia do último terço da minha vida naquilo que é verdadeiramente essencial, no *unum necessarium*.

Em todas essas reflexões, lembrei-me de novo do tom desprezível na voz do político – e sua profanação da palavra "verdade" ardia em meu rosto como um tapa violento, administrado por aquele que dissera: *Eu sou a Verdade, o Caminho e a Vida.*

Na noite daquele dia li mais uma vez a narrativa de Páscoa no Evangelho de São João. Lembrei-me que Pilatos pode ter feito sua pergunta "O que é verdade" naquele mesmo tom com que o senhor vice-presidente enunciou aquela palavra. Passou-me pela mente também o pensamento se Jesus, depois daquela noite na cruz e do túmulo, não teria voltado e mostrado suas feridas também para demonstrar que os Golias do poder e os discípulos de Pilatos nem sempre terão a última palavra, e que a zombaria sobre aqueles que não se esquivam da pergunta referente à verdade é, talvez, um pouco precipitada.

Por que, porém, Cristo não se mostrou "a todo o povo", como afirma a Escritura, mas apenas àqueles que Ele escolheu como *suas testemunhas*? Por que Ele não se mostrou a Pilatos e aos vice-presidentes? Talvez porque Ele tenha reservado essa tarefa para nós. Ele capacitou aqueles que confessam o seu nome para que fossem "testemunhas da verdade" no ambiente em que fomos colocados – com todas as consequências que isso traz. E é justamente na narrativa da Paixão que podemos ver o tipo de consequências que isso pode trazer.

Sim, nem todos que decidem seguir esse caminho precisam acabar na cruz, mas todos deveriam estar preparados para a possibilidade de serem *estigmatizados* pela *loucura da cruz* aos olhos dos vice-presidentes, dos presidentes, dos cínicos e dos pragmáticos, mas também dos "realistas" resignados! Não estou falando apenas daqueles estigmas espetaculares e dourados que vemos nas imagens dos grandes santos. Falo também dos estigmas cotidianos, aos quais precisamos nos acostumar e aceitar como algo normal, como equipamento natural de um cristão no caminho do discipulado: os estigmas daqueles que "não se adaptaram", que não se acomodaram, que saem da linha.

Sim, o mundo do pensamento do vice-presidente *está crucificado para mim e eu para o mundo* (cf. Gl 6,14). Isso não significa que eu precise demonizar seu mundo, tampouco que eu precise ter medo dele ou fugir dele. Eu não posso me isolar completamente dele, nem mental nem fisicamente – pois todos nós vivemos aqui neste mundo, e nossos mundos particulares e comunais, os mundos dos nossos valores, sonhos e interesses se penetram reciprocamente, e nós os penetraremos enquanto "este mundo" existir. Estamos *no mundo*; mesmo assim, não somos *do mundo*[139], dependendo de quanto nos aprofundamos em Cristo. Isso significa: Não podemos nos conformar àquilo em que Pilatos e os *vice-presidentes* confiam, não podemos nos conformar à sua postura diante da verdade e do poder. Para eles, o poder é sagrado; e a verdade, irrelevante e risível; para nós, porém, o poder precisa perder sua auréola da santidade, mas a verdade precisa continuar sagrada para nós.

Se os *vice-presidentes* pretendem extinguir a pergunta sobre a verdade (para que ninguém possa mais questionar a sacralidade do poder), eles estão se defendendo de forma muito inteligente hoje em dia. Quando falamos sobre a verdade, eles nos acusam de que nós estaríamos nos colocando orgulhosa e arrogantemente na posição dos *donos da verdade* e que, na verdade, seríamos agentes perigosos do totalitarismo, enquanto eles mesmos estariam defendendo a liberdade e a democracia.

Pois não são eles elementos da política democrática, seu poder não foi legitimizado pelo número de votos e pela opinião majoritária, que eles representam (e que eles tiveram que criar e manipular com tanto esforço)? Quem nos concedeu o mandado de nos colocar em seu caminho e de questionar sua conduta? Eles nos avisam: enquanto

139. Cf. Jo 17,14-19.

estivermos no poder, vocês não podem fazer ou dizer qualquer coisa que não nos agrade. No máximo, podem aguardar as próximas eleições, para que nelas se evidencie mais uma vez como vocês são uma minoria desprezível e como nós somos capazes de expressar o que pensam as pessoas que preferem não perder seu tempo pensando! E nós temos recursos. Sabemos que tipo de lema sugestivo precisamos introduzir ao debate para impedir que as pessoas comecem a *pensar*. "O senhor representa 1% da população, 1% que não afeta o lucro da minha empresa", disse-me certa vez o dono de um canal de TV bem-sucedido.

Mas também aqui mentem os *vice-presidentes*: nós não alegamos ser "donos da verdade". Nós perguntamos pela verdade – e é justamente essa *pergunta* que tem o *poder revolucionário* diante daquele monopólio de poder, e os chefões da política sabem desse poder e por isso o temem tanto.

Jesus não queria que fosse chamado de "Messias" e "Rei" nas ruas do mundo; não porque não o era, mas porque sua messianidade e sua dignidade real só podiam se manifestar no drama da Paixão. Pois lá elas se manifestam como aquilo que realmente são: como o paradoxo do *poder dos impotentes*, como pretensão que se destaca da galeria dos reis, dos vice-presidentes e dos messias convocados por este mundo; como pretensão que os questiona e que questiona suas pretensões. Como resposta à pergunta de Pilatos sobre a verdade, Jesus – ao contrário de todos os "donos da verdade" – não oferece teorias, lemas e definições e nenhuma ideologia. *Ele se cala*.

Em seu silêncio, em sua impotência, em sua cruz, revela-se, porém (talvez pela primeira e última vez) a verdade, não contaminada por quaisquer conexões e compromissos com o poder e com os interesses de poder. Aqui está, como já observamos, Cristo – a verdade como *espelho* no qual o mundo, o ser humano e Deus se mostram como realmente são. Não vemos aqui qualquer pretensão de um "totalitarismo" a exemplo das ideologias ou dos regimes totalitários deste mundo. O espelho não nos dá uma resposta igual às respostas dos mais diversos catecismos políticos e religiosos de todo tipo; ele permite apenas que *vejamos*[140] – e deixa em aberto a pergunta como devemos interpretar aquilo que vimos e como o usaremos.

E nós com nossas perguntas críticas que fazemos ao poder apenas lhe apresentamos o espelho e deixamos que o poder decida se ele quer ver-se nele ou prefere quebrá-lo: "Não me interessa como as coisas são de verdade, sou apenas um caçador de aprovação, um colecionador de votos".

Mas se os *vice-presidentes* estiverem "colecionando votos", não podemos permitir que eles se apoderem dos nossos – não estou falando apenas do "voto" na forma de um papel depositado na urna de votos, falo principalmente do "voto, da voz do profeta no deserto", da voz que sempre se levanta com perguntas nada populares. A democracia em si, como todos os seus mecanismos, não é capaz de garantir a liberdade da sociedade; ela pode *ajudar*-lhe, mas apenas numa sociedade em que existam pessoas que pensam e discutem livremente sobre a verdade.

Não, não somos "donos da verdade" – e nossa fé até proíbe rigorosamente que nos apresentemos como qualquer coisa parecida com isso. Se acreditarmos que "Cristo é a verdade" (e que *apenas Ele* pôde dizer de si mesmo: "Eu sou a Verdade") e se confessarmos que "*cremos* em Cristo", reconhecemos com isso também que *nós não somos Jesus Cristo, que nós não somos a verdade* – e por isso precisamos resistir à tentação de nos comportarmos como a "verdade", i. e., como monopolistas da verdade[141].

Não somos "donos" de Cristo. Nem o objeto da fé nem a própria fé são propriedade, mas sim obrigação. Cristo nos obriga

---

140. Mas nem mesmo aqui conseguimos "ver" Deus. Deus deve ser visto mais como luz que nos permite ver o mundo, as pessoas e nós mesmos.

141. Cf. VOLF, M. Ibid., p. 302.

a *segui-lo*, a buscar a verdade e a não vacilar nisso. "Pois percorremos esta vida não possuindo Deus, mas buscando-o", escreveu Martinho Lutero. "Sempre precisamos procurar e perguntar, i. e., buscar sempre e sempre de novo. [...] Pois não é aquele que começa e procura, mas aquele que 'persevera' e procura 'até o fim será bem-aventurado' (Mt 10,22), começando sempre de novo, procurando e investigando constantemente o que procura. Pois quem não avança no caminho de Deus fica para trás. E quem não procura perde o que procura, porque não podemos ficar parados no caminho de Deus"[142].

Identificar-se com a verdade e se apresentar como dono da verdade é tão pecaminoso quanto deixar de se interessar pela verdade e desertar para o lado dos cínicos.

Se a Igreja e os cristãos individuais pretendem cumprir a função dos profetas – de colocar-se no caminho do poder, que despreza a pergunta pela verdade –, eles não podem, nem por um momento, parar de perguntar com humildade e autocrítica se eles mesmos estão na verdade e como eles mesmos a compreendem. A verdade não exige algo apenas dos outros, mas sobretudo de nós mesmos. A luta externa com aqueles que desprezam a verdade e as feridas que podemos sofrer nessa luta não podem nos afastar da luta interna pela veracidade própria e da pergunta se nós mesmos continuamos humildemente abertos para a verdade.

Combates por fora, temores por dentro – assim descreveu o Apóstolo Paulo esse estado[143]. No entanto, esse é o estado normal de cada "guerreiro de Deus", caso não se transforme em "terrorista religioso" (mesmo que em uma versão ocidental mais elegante).

"Sobre a verdade não se discute" – ouvi essa declaração terrível não de um representante do poder político, mas de um representante

142. ALAND, K. (org.). *Luther Deutsch: die Werke Martin Luthers in neuer Auswahl für die Gegenwart* – Vol. 1: Die Anfänge. Stuttgart: Klotz, 1969, p. 146s.
143. 2Cor 7,5.

da nossa Igreja[144]. Mas sobre o que discutir se não sobre a verdade? Se a Igreja começar (ou não parar) a ver a verdade que lhe foi confiada como sua *propriedade*, em vez de compreendê-la como obrigação, ela não será capaz de cumprir no mundo seu papel de profeta e já terá perdido de antemão qualquer luta contra o poder político cínico não só no sentido físico e político, mas também moral. Então "o poder se oporá ao poder" (e, no fim das contas, um não poderá ser diferenciado do outro, como os animais e os seres humanos no final do livro *A revolução dos bichos*, de George Orwell) – e quem perderá essa luta é a própria verdade.

O teólogo croata Miroslav Volf, que já citei em muitas passagens deste livro, escreveu sobre a verdade e o serviço cristão "de dar testemunho para a verdade", algumas das sentenças mais lindas que já li sobre esse tema: "A verdade vos libertará, diz Jesus. Ela nos libertará para quê? Ela nos libertará para percorrermos o caminho do eu para o outro e de volta, de forma que passamos a ver nossa história comum tanto da perspectiva dele quanto da nossa e não insistimos mais na verdade absoluta da nossa própria visão. Ela nos libertará para uma vida autêntica, que nos permite ser testemunhas da verdade. Ela nos libertará da necessidade de produzir nossas próprias 'verdades' e de impô-las aos outros"[145].

---

144. Com grande inquietação observo que a nossa Igreja Católica começa a usar e abusar de forma problemática a expressão "carisma da verdade" como sinônimo do "carisma do ofício". Quando um dignitário eclesiástico a compreende e usa num sentido ingênuo e arrogante, reminiscente dos funcionários comunistas (no sentido de: "Ocupando este ofício, tudo que eu digo precisa ser aceito como verdade"), isso é não só um equívoco teológico e moral (o dogma sobre a inerrância do papa e a concepção do magistério da Igreja não podem ser vulgarizados dessa forma), mas pode ser também um pecado sério contra o Espírito do Evangelho. (Na Igreja, ouve-se muito que ela deve se "conformar com seu passado comunista". Essa reivindicação deveria, porém, incluir também uma postura atenta em relação a essa herança inconsciente e não reconhecida do totalitarismo.)

145. VOLF, M. Op. cit., p. 304.

Sim, os *vice-presidentes* dominam uma parte enorme do "espaço público", no qual podem apresentar ao mundo sua visão das mais variadas formas. Mesmo assim não podemos "perder a voz" no momento em que precisamos comunicar que as coisas podem ser vistas de outra maneira – mesmo que apenas na forma de uma pergunta incômoda.

"O lugar da verdade é pequeno em qualquer parte deste mundo", cantamos num antigo hino tcheco. Onde fica esse lugar pequeno, mas "estrategicamente importante"? A partir de onde podemos *minar* sempre de novo as pretensões totalitárias do poder cínico e inescrupuloso, mesmo que seja apenas na forma de uma pergunta pela verdade? O lugar se encontra na *nossa fé*, contanto que esta tenha sido capaz de resistir à tentação de se transformar em ideologia. O lugar é nossa confiança – ferida, zombada, decepcionada e crucificada mil vezes – na verdade, da qual não podemos desistir. Este é o pequeno lugar, a ilha no mundo dos Golias, que precisamos defender custe o que custar.

Não, eu não interajo à mesma altura com os Golias do poder – como observou muito bem o senhor vice-presidente –, tampouco disponho das pedras nem do estilingue do nosso pai Davi. Minha única arma contra a tentação de resignar e de me juntar aos cínicos e "realistas" é minha fé – que é uma *fé ferida*.

Ela não é uma ideologia, que poderia servir como instrumento para chegar ao poder, não é uma receita confiável para a vitória na arena dos interesses concorrentes. Ela é *um caminho*, que, de uma forma ou de outra, leva à cruz e que aponta para a cruz. E que essa cruz, essa derrota da verdade, não seja um triunfo definitivo da elite cínica dos vice-presidentes e dos outros representantes dos Pilatos, Herodes e Caifás de todos os tempos – isso nos foi dado apenas como *esperança*. E só podemos mostrar isso ao mundo, "prestar contas da nossa esperança", vivendo no espírito dessa esperança.

Será que, com essa fé vulnerável e ferida, podemos contribuir para a cura do mundo em nossa volta? Curar o mundo *é a obra do*

Messias. Se tentássemos fazê-lo por conta própria, isso significaria que fomos infectados pelo *messianismo* e pela arrogância, que já causaram tantas tragédias na história.

Mas se abrirmos mão do messianismo – e já vimos que isso é aquele ato da graça que é parte integral da nossa fé no Messias –, não precisamos cair em indiferença, cinismo e apatia. Pelo contrário: apenas então podemos enfrentar sobriamente a tarefa que foi dada a cada um de nós.

Curar o mundo significa "ampliar o lugar da verdade". O verdadeiro "lugar da verdade" é o *Reino de Deus*, Deus em seu poder, que se manifestará no fim dos tempos. "O pequeno lugar da verdade" no nosso mundo é, como já mencionamos, a nossa fé – e, por meio dela, o próprio Cristo.

Não somos Cristo – mesmo assim fomos encarregados de fazer a sua obra em humildade. Se não *apresentarmos* apenas a *nós mesmos*, se não buscarmos o tempo todo a nossa própria vantagem e tentarmos realizar os nossos próprios interesses egoístas, e não impormos apenas o nosso poder e a *nossa* glória, se *perguntarmos sempre pela verdade* em nossos próprios corações e nos lugares do mundo, nós passamos a representar Cristo. A verdade é *o caminho* e a vida; ficar parado significa a morte espiritual. Apenas se desistirmos de um messianismo orgulhoso (pessoal, nacional, político ou eclesiástico), participaremos de sua vocação messiânica para curar e libertar o mundo por meio da verdade.

12
Verônica e o selo da face

Quando o Ressurreto se mostrou aos discípulos, abalados ainda pelo medo, pela tristeza e pela decepção e abatidos pela sombra da cruz e de seu próprio fracasso, ou seja, quando Cristo se mostrou aos homens que o haviam abandonado e fugido covardemente, Ele falou com eles primeiro por meio de suas feridas. Mas quanto às mulheres?

Elas não o abandonaram, elas não fugiram, elas o acompanharam na *via-crucis* e perseveraram ao pé da cruz até o último momento – e foram elas também as primeiras que descobriram o túmulo vazio, o ventre aberto do mistério da manhã de Páscoa. O Evangelho registra o nome de algumas delas, as paixões medievais falam das três Marias, e inúmeras imagens e estátuas, que representaram a crucificação durante séculos, mostram principalmente duas: a mãe virgem e a ex-prostituta de Magdala, da qual Jesus havia expulsado sete diabos, que o amava infinitamente e que lhe era muito próxima[146]. Os evangelhos, de forma mais clara o Evangelho de São João,

146. Segundo os evangelhos e sobretudo os apócrifos, Maria Madalena tinha uma intimidade humana incomum com Jesus. Os esforços atuais da literatura, que oscilam entre sensacionalismo e banalidades populistas, de extrair ainda mais daquelas alusões apócrifas, mereceriam um estudo teológico-psicanalítico. Parece-me que as especulações sobre o matrimônio e a paternidade de Jesus deixam transparecer o mesmo com o o tratamento que as mídias conferem ao celibato e aos problemas e abusos sexuais dos padres (deixando claro aqui que de forma alguma tento minimizar esses problemas): o celibato de Jesus e o celibato dos pa-

mostram que Maria Madalena se tornou "apóstola dos apóstolos" e que ela testemunhou a primeira aparição do Ressurreto[147].

A ordem penetrante de Jesus: "Não me toca! Não me segura!", com a qual impediu que Maria Madalena o abraçasse, representa um contraste forte com a instrução dada a Tomé: "Põe aqui o dedo e olha minhas mãos, estende a mão e põe no meu lado!" No entanto, o texto não nos diz se Tomé realmente estendeu a mão e tocou as feridas de Jesus. A palavra dirigida a Maria Madalena (assim como sua entrada na sala com a porta trancada e seu súbito desaparecimento em Emaús) parece querer proteger o leitor de uma concepção excessivamente "materialista" da Ressurreição, gerada por uma interpretação superficial da cena com Tomé (e que é defendida pelos fundamentalistas, contra os quais este livro adverte repetidas vezes[148]). Os evangelhos e a fé tradicional, como também a teologia da Igreja, insistem, ao contrário da concepção fundamentalista ingênua da ressurreição física, que o corpo do Ressurreto é um "corpo transformado", que aqui "o corpo" significa, sobretudo, *a identidade inconfundível da pessoa*. A Ressurreição e o Ressurreto pertencem, portanto, aos mistérios escatológicos que entram *pela porta da fé e da esperança* neste mundo e em sua história. Eles não devem ser minimizados, adicionando-os simplesmente aos *bruta*

---

dres precisam ser ridicularizados e recalcados como tudo que pudesse questionar a sacralização e a absolutização da sexualidade em uma era em que a sexualidade se transformou em bem importante da sociedade do consumo e do entretenimento!

147. Cf. Jo 20,1-18.

148. O fundamentalismo é uma heresia tipicamente moderna. Ele alega ingenuamente que a interpretação "literal", i. e., a leitura superficial e evidentemente comprometida pelos preconceitos modernos seja o único "significado" verdadeiro e original do texto. O fundamentalismo jura respeitar a tradição, no entanto, é profundamente antitradicional – ele ignora que, na dramática correnteza da tradição, na transmissão contínua do texto de uma geração para a próxima, ocorreram tantas "mudanças dos paradigmas", tantos deslocamentos na interpretação de conceitos, que isso torna necessária uma hermenêutica teológica. Fazem parte desta uma pesquisa do contexto original, uma análise do gênero textual e de seu "lugar na vida". A Igreja, os teólogos e, por fim, o próprio Novo Testamento (cf. 2Pd 1,20) advertem desde sempre contra a "interpretação privada" apressada e ingênua, praticada também pelos fundamentalistas.

facta do nosso mundo e protegendo-os tolamente por meio de provas da nossa razão e panfletos apologéticos. A manhã de Páscoa é o alvorecer daquele *dia glorioso*, no qual despertaremos apenas após o nosso próprio sono da morte. Aqui e agora o vivenciamos apenas por meio da nossa fé, e nossa fé é iluminada por seus raios na mesma medida em que ela é uma "dádiva da graça".

Nossa fé na ressurreição de Cristo se apoia no testemunho das testemunhas, e nós somos convidados a nos juntar a elas por meio da fé e da graça; jamais se tratou de sermos "testemunhas oculares" (estas não existiram para o evento da Ressurreição), mas de sermos aqueles que estão dispostos a testificar com sua vida que Jesus não pertence apenas ao passado, mas que nós podemos remeter a Ele como nosso futuro e mostrar a todo momento no presente que Ele está presente e *vivo* neste mundo também para nós, em nós e por meio de nós.

No entanto, temos também essa dádiva apenas em "jarros de barro" – a nossa fé permanece ao mesmo tempo nosso ato humano, uma fé peregrina que, durante o tempo da nossa peregrinação neste mundo e neste corpo, jamais conseguirá se livrar completamente da meia-escuridão das dúvidas, que jamais conseguirá se libertar completamente dos limites da nossa razão, da nossa língua, da nossa experiência e das nossas concepções.

Também o amor e o desejo mais passional precisam, neste mundo, e semelhante ao ventre de Maria Madalena, sempre ser lembrados, não devem jamais rasgar completamente o véu do mistério *por meio do toque*, para então reivindicá-lo como objeto de posse. Assim como o caminho desceu da glória do Monte Tabor para o vale do dia a dia, e até mesmo para a escuridão de Getsêmani, o encontro com o Ressurreto, mesmo que seja sempre um evento de grande alegria, não pode ser "agarrado" e guardado no baú das certezas, em meio a todas as certezas e aos tesouros deste mundo. É uma certeza de outra qualidade, mais profunda e, ao mesmo tempo, mais sutil e vulnerável, semelhante a uma vela que precisa ser protegida do vento para que ela não se apague; o Jesus Ressurreto não pode ser convencido a ficar nem mesmo com a sugestão de "construir aqui três cabanas"[149]. Ele sempre está a caminho, Ele vai para o Pai, *Ele é o caminho* que leva ao Pai – e Ele quer que nós também não fiquemos paralisados, mas que avancemos com Ele.

Uma mulher não é mencionada nos evangelhos; as lendas e a profunda intuição da piedade popular, porém, a conhecem muito bem: dedicam a ela até uma das 14 estações da *via-crucis*. Verônica, a mulher que deu a Jesus seu véu, para que Ele pudesse enxugar o suor sangrento e as feridas de seu rosto, recebeu uma lembrança eterna, que ficou gravada profundamente na imaginação cristã: Jesus deixou a marca de seu rosto no véu de Verônica como um selo.

Inúmeras lendas contarão outros destinos dessa representação e "a imagem não feita por mãos humanas" não será exposta, guardada, copiada e venerada no mundo inteiro, mas se tornará também um elemento significativo da teologia da arte cristã. Um ícone é – ao contrário de um ídolo, que é um "deus criado por mãos humanas e pela imaginação humana", ou seja, uma projeção de desejos humanos – "uma janela", que abre o mundo e a matéria em direção a coisas que o olho humano não consegue enxergar e cuja visão jamais o satisfará plenamente. Trata-se de uma fresta nas portas trancadas do mistério, de um lugar do qual sai luz suficiente para que nós possamos reconhecer nosso mundo como véu de sua face. Seu sorriso nos encoraja tanto que não corremos o perigo de desanimar nem mesmo quando somos obrigados a atravessar o vale das mais profundas sombras.

No entanto, para o cristão, o mundo não é um "véu de maya", não é apenas uma ilusão; a matéria não é apenas escuridão; seu

149. Cf. Mt 17,4.

corpo, não apenas um túmulo; a terra, não apenas abismo e armadilha. Nisso consiste a diferença fundamental entre a acepção cristã da realidade e do "mundo material" e sua compreensão oriental, platônica, gnóstica e idealista. O mundo, a matéria, o corpo são boas criações de Deus (as quais o próprio Criador avaliou como "boas"[150]); o corpo é antes "expressão da alma" do que prisão. A matéria deste mundo pode ser *matéria* sacramental, um sinal real e eficaz da presença de Deus. E este mundo foi marcado para sempre com a *face de Cristo* – no entanto, só recebe este selo aquele que estende o véu da compaixão da misericórdia àqueles que carregam a cruz.

Quantas vezes os homens desejaram ouvir *o nome* que Deus se recusou a revelar na sarça ardente[151], quantas vezes quiseram ver sua *face*, mesmo quando prometeu ao seu servo que ele o viria apenas "de trás", de passagem[152]. O povo da primeira aliança guardou o nome e a face de Deus, o Senhor, no mistério da inacessibilidade. O cristianismo proclama ao mundo o nome e a face *do Filho*: como selo que o próprio Pai imprimiu na história, como palavra com a qual Ele rompeu seu silêncio.

Com isso, a fé cristã de forma alguma diminui, esvazia ou anula o *mistério* do Pai, ela não rebaixa a santidade, não abre um acesso "fácil" e barato. O nome do Filho não pode ser usado como fórmula mágica de evocação. Ele mesmo adverte contra o clamor insincero ("Senhor, Senhor!"[153]). Ele quer que *realizemos as obras* em seu

---

150. Cf. Gn 1,31.

151. Repetimos: A exegese atual ressalta que aquele "Eu sou Aquele que É" não deve ser compreendido como "nome", mas como recusa de revelar "o nome" com os quais os homens invocam seus deuses (tampouco é a definição metafísica do ser divino, mesmo que esse pensamento tenha sido fértil na história em termos filosóficos).

152. Cf. Ex 33,23.

153. Mt 7,21.

nome que Ele mesmo realizou, e até mesmo maiores[154]. A face do Filho se transformaria em caricatura blasfema se a usássemos apenas como sinal mágico em nossos estandartes, como logotipo de nosso grupo em cartazes de propaganda.

A face verdadeira de Jesus será vista apenas por Verônica e aqueles que lhe seguem. Lá, onde a *passio* (sofrimento) encontra a *compassio* (compaixão), aquele que desceu para as profundezas do sofrimento imprimirá à compaixão o selo da autenticidade, Ele "a assina" de certa forma "com seu sangue".

A face de Jesus não pode ser gravada no mármore dos corações endurecidos. Nós a encontramos apenas nas pessoas *misericordiosas*, nos *puros de coração, porque verão a Deus* e alcançarão a misericórdia[155]. Os misericordiosos antecipam em dois sentidos a "visão beata", o descanso escatológico no brilho da face divina: eles reconhecem a face de Cristo naqueles que sofrem e a proclamam ao mundo estendendo compaixão, amor e assistência aos que sofrem.

Um ícone (e sua veneração), contanto que seja "autêntica" e não se transforme em ídolo e objeto de idolatria, em uma representação proibida de Deus, precisa ser duplamente "transparente". Primeiramente, deve voltar os olhos e o coração dos crentes do mundo terreno, físico e visível (e *por meio* dele) para o invisível e irrepresentável. Depois, porém, Ele os volta de novo para o mundo, para que reconheçamos no mundo a face de Deus na face dos que sofrem à luz de Deus (e *por meio* de Deus).

Um ícone é uma janela que se abre em direção a Deus, mas ainda coberta por um véu, pelo qual transparece a luz divina. Um ícone ensina a enxergar o mundo como "símbolo", como véu transparente, que simultaneamente cobre e descobre o mistério de Deus; Ele ensina a respeitar o mundo por causa dessa "transparência". E a face de Cristo, registrada pelo véu de Verônica, é justamente a face *de todos*

154. Cf. Jo 14,12.
155. Cf. Mt 5,1-10.

que sofrem, contanto que a enxerguemos com o gesto da compaixão e da assistência – é aquele lugar no mundo que, evidentemente, deixa transparecer a luz da presença de Deus com a maior intensidade.

A tradição nos fala de inúmeros santos, canonizados ou não, cujos corpos apresentavam estigmas, sinais visíveis das feridas de Cristo, seladas na pele e na carne de seu corpo. Verônica é a primeira daqueles que guardaram a impressão das feridas de Cristo, de sua face ferida e maltratada pela maldade de todos os tempos, em seu *interior*, pois ela "tirou o véu de seu coração" e o ofereceu àquele que sofria.

Em sua indignação dolorosa sobre seus conterrâneos, que não queriam aceitar Cristo como seu Messias, Paulo escreveu que, até o dia de hoje, um véu lhes cobre o coração, o mesmo véu que cobria o rosto de Moisés, que refletia a glória do Senhor após seu encontro com Deus[156]. A face daquele, porém, que se converteu a Cristo, reflete o "famoso brilho do Senhor", que, pelo poder do Espírito, se transforma em sua imagem.

Tenhamos, porém, cuidado de não ler essas palavras de modo triunfalista, como demarcação mecânica das fronteiras externas entre cristãos e judeus. Quantos de nós, sobre cujas cabeças foi despejada a água do batismo, realmente se converteram a Cristo, sobretudo ao Cristo nos necessitados, de forma que nosso rosto realmente reflete a luz de sua face na meia-escuridão deste mundo?

Não foi justamente o grande pensador judeu Emmanuel Lévinas que lembrou as pessoas do século XX de que nós reconhecemos Deus no rosto dos outros, cuja nudez e vulnerabilidade gritam: "Não me mate"? E não sopra o espírito do Evangelho já na velha lenda judaica na qual o rabino envia seus discípulos aos feridos e leprosos

---

156. Cf. 2Cor 3,12-18.

do lado de fora dos muros de Jerusalém para que lá encontrassem o Messias oculto, que espera ser reconhecido? E o sinal pelo qual o reconhecerão é este: todos os outros se preocupam com suas próprias feridas, um único, porém, cuida primeiro das feridas dos outros. Este é o Messias.

Talvez o nosso próprio coração – mesmo que chamemos "Senhor, Senhor" e decoremos nossas casas com suas imagens sagradas – esteja coberto com aquele véu. Precisamos tirá-lo como Verônica, sair pelos portões da cidade e tornar-nos seus alunos neste mundo leproso.

Quero lembrar ainda outra meditação enquanto contemplamos o lado *feminino* da Páscoa. Existe outra imagem que apresenta um vínculo profundo com aquele tempo de silêncio entre a tarde da Sexta-feira Santa e a manhã do domingo de Páscoa: a *Pietà*, a penúltima estação da *via-crucis* e motivo de inúmeras obras da arte plástica (desde as obras intimamente emocionais, mas pouco artísticas dos gravadores populares até a beleza fria e quase desumana da *Pietà* de Michelangelo na entrada da Catedral de São Pedro) – a mãe com o corpo morto de seu filho no colo. Quando me vejo diante dessas imagens, muitas vezes não consigo não perceber seus "abalos", lembrando o que "impregna" essa representação: Quantas mães devem ter se ajoelhado diante dela – principalmente nas guerras do milênio passado –, projetando sobre essa cena toda sua dor e procurando nela a força para aceitar seu próprio destino?

"*In gremio matris sedet sapientia Patris*" – "No colo da mãe descansa a sabedoria do Pai". Essa expressão acompanha muitas imagens medievais da Madonna com a criança no colo. Maria é interpretada pelos místicos como *Sapientia*, como símbolo que, segundo os livros de sabedoria do Antigo Testamento, acompanhou Deus em sua obra da criação; como símbolo "da Shekiná", da nuvem da presença misteriosa de Deus, da beleza e do poder. É, porém, ao mesmo tempo *sedes sapientiae*, "o trono da sabedoria (divina)"; para os teólogos medievais, Maria é o símbolo da humanidade, da natureza humana, da razão e, portanto, também da filosofia e da "teologia natural" – daquilo que representa o "fundamento", a base, o *trono* para a sabedoria revelada, à qual a teologia se dedica. *Gratia supponit naturam*, a ordem da graça pressupõe a ordem da natureza, afirmava Tomás de Aquino; a teologia pressupõe a filosofia, a semente da Palavra de Deus pressupõe um solo preparada da humanidade – e tudo isso simboliza Maria, sua virgindade, sua abertura, seu ventre, seu *fiat*: "Faça-se em mim segundo a tua palavra!" Se, para a Idade Média, a filosofia é *ancilla theologiae*, serva da teologia, isso não significa que seja serva para trabalhos inferiores, mas que ela ocupa a mesma posição como Maria, *a serva do Senhor*, que, por meio de sua abertura para o *fiat*, permitiu que Deus realizasse sua obra respeitando plenamente a liberdade humana.

Antes de ser sepultado no ventre da terra, o corpo do Filho descansa por um momento no colo da mãe. Maria simboliza a terra: assim como, no início da criação, a terra estava *deserta e vazia* e o *Espírito de Deus pairava* sobre as águas[157], assim também, no início da obra da redenção, o mesmo Espírito *virá* sobre Maria[158], "encobri-la com sua sombra", da mesma forma como Ele velou a arca da aliança. Mas onde está o Espírito-Consolador (*Parakleitos*)[159] na hora aos pés da cruz? O tempo da festa de Pentecostes ainda não chegou.

No "trono" do colo de Maria descansa o "Rei dos judeus" – a sabedoria do Pai, que agora pode ser zombada como loucura pelos seus inimigos, pelos inteligentes e poderosos do mundo – é difícil imaginar uma cena mais absurda! Assim como o misticismo judaico

---

157. Gn 1,2.

158. Lc 1,35.

159. Cf. Jo 15,26. A palavra *Parakleitos* pode ser traduzida como "Consolador" ou "Auxiliador".

conhece a "partida da Shekiná para o exílio", assim o vivencia também a piedade cristã daquele tempo – o Filho está morto, o Pai se cala, o Espírito ainda não desceu, a esperança do amanhã, quando *a Shekiná* voltará, é encoberta pela escuridão da dor, até mesmo no coração daquela mulher que a liturgia chama de "Estrela da manhã" (*stella matutina*).

"Céus, destilai orvalho lá do alto, nuvens, fazei chover a justiça! *Abra-se a terra e desabroche a salvação*!" Esse versículo do Antigo Testamento, que normalmente citamos no contexto do Advento[160], tem também um sentido profundamente pascal.

Os comentários dos místicos sobre o mistério do Sábado de Aleluia ponderam o que pode ter ocorrido "nas profundezas da terra", "no inferno", para o qual o Salvador desceu por meio dos seus sofrimentos e onde sua cruz se transformou em arma que rompe os portões da escuridão. Mas o que se passa nesse momento nas profundezas do coração materno, no inferno de suas dores?

O impressionante hino latino *Stabat mater*, que inspirou obras brilhantes da música, descreve o sofrimento pascal da mãe. Mas quando ouvimos essas obras, perguntamo-nos involuntariamente: Não se trata aqui de uma *estetização do sofrimento*? Não é esta uma das maneiras de quebrar a ponta aguda da dor por meio da beleza?

Não estamos mais próximos do mistério *da Pietà*, da penúltima estação da *via-crucis*, nos lugares pelos quais passa o caminho da cruz da história, o caminho do sofrimento de ontem e de hoje, lá onde a face da terra está realmente impregnada de sangue como o colo de Maria aos pés da cruz?

Isso me passa pela cabeça no Santo Sepulcro em Jerusalém, onde os locais da morte e da ressurreição de Jesus são mostrados – naquele templo que aqueles que pretendiam "libertar o sepulcro de Cristo das mãos dos incrédulos" encheram de sangue.

---

160. Cf. Is 45,8. Esse versículo da liturgia no início do Advento – *Rorate coeli* – deu a essa forma litúrgica seu nome popular – a *Missa Rorate*.

Penso nisso em Hiroshima, naquela manhã de verão – que é ao mesmo tempo o dia da festa da transfiguração do Senhor na nuvem brilhante no Monte Tabor – em que, juntamente com crentes de sete religiões diferentes, lembramo-nos do dia em que a nuvem da morte da explosão da bomba atômica cobriu essa cidade.

Penso nisso em Auschwitz, na cela de Maximiliano Kolbe, nas salas de execução e nas câmaras de gás e na capela das carmelitas, onde se realiza uma oração de reconciliação ininterrupta, penitência e intercessão pela paz e cura do mundo.

Penso nisso também no Ground Zero em Manhattan, onde os dedos orgulhosamente apontados para o céu deixaram uma ferida aberta na terra e onde os nossos dedos se dobram em postura de voto e clamor.

Mas quantas cicatrizes mais e quantas feridas ainda não curadas, das quais ninguém sabe e as quais ninguém visita para curvar a cabeça diante delas, existem na face da "Terra Mãe"?

Muitas dessas feridas são do tipo que não podemos impedir e ao qual não podemos resistir, elas vêm de regiões que escapam à nossa influência, ao alcance do nosso poder. Às vezes, não ficamos sabendo delas, não as vemos ou não as queremos ver; outras vezes, as páginas dos jornais e as telas das TVs estão tão saturadas delas que não conseguimos nos conscientizar delas e as esquecemos no mesmo instante juntamente com os eventos esportivos de ontem.

O mal vence não só quando adotamos seus métodos, mas também quando nos acostumamos com ele. Um dos pecados mais perigosos do nosso tempo é que muitos *confundem ocorrências frequentes com a normalidade*, aceitando o "normal" como norma. Aos olhos do público, um fenômeno que se repete com frequência perde seu caráter do mal simplesmente por causa de sua frequência estatística, e uma "mentira repetida cem vezes se transforma em verdade". Mas o código moral não pode ser substituído por estatísticas.

Por isso, é muito importante que nenhum sofrimento, nenhuma dor, nenhuma injustiça e nenhum ferimento causados pelo mal sejam privados de sua singularidade, que eles não desapareçam na uniformidade anônima das estatísticas.

Alguém precisa permanecer alerta como Maria, alguém precisa acolher essas dores "em seu colo", alguém precisa impedir que sejam esquecidas, alguém precisa "guardá-las em seu coração", mesmo que não as entenda[161] – alguém precisa levá-las em seu colo e em seu coração da sombra do Calvário para o alvorecer da manhã de Páscoa.

161. Cf. Lc 2,50s.

13
Feridas transformadas

Onde estão os primeiros socorros deste mundo? Certamente não só nos países distantes, exóticos ou nos campos de batalha, para os quais todos apontam suas câmeras no momento. Talvez sejam estes os lugares para os quais nossos sentimentos "românticos" nos atraem. Mas: eles estão por toda parte ao nosso redor.

"Vede minhas mãos e pés", diz Cristo hoje em vista de todos os feridos e necessitados, próximos e estranhos, "Tocai-me e vede: um espírito não tem carne nem ossos como eu tenho"[162].

"Os homens e as mulheres são de carne e osso, mãos e pés, o lado traspassado de Cristo – seu corpo místico", acrescenta o autor que se esconde por trás do pseudônimo "Monge da Igreja Oriental"[163]; "neles podemos realizar a realidade da ressurreição por meio dos nossos atos". Ele nos incentiva a reconhecer Cristo não só nos socialmente necessitados, doentes, pobres, abandonados, mas, sobretudo, também nas pessoas que nos são estranhas e antipáticas: "Em muitos desses homens e mulheres – em pessoas más e criminosas – Cristo voltou a ser preso. Liberte-o, reconhecendo e adorando-o neles calado e em silêncio".

---

162. Lc 24,39.

163. Monge da Igreja Oriental. Op. cit., p. 39.

Estas são palavras duras e desafiadoras – quem consegue ouvi-las? E quem ousa realizá-las – ou pelo menos tentá-lo? Já nos acostumamos a ouvir em muitas homilias que devemos ajudar às pessoas em necessidade social, e talvez nós até o façamos de vez em quando. No entanto, poucos pregam sobre *o amor ao inimigo* – e quando o fazem surge muitas vezes a impressão embaraçosa de que nem o pregador nem seus ouvintes entendem essas palavras "literalmente". Ou em palavras mais claras ainda: não as levam a sério de todo. É apenas uma fórmula vazia que se ouve na Igreja. Já mencionamos que a maior dificuldade referente a essa declaração de Jesus consiste no fato de vermos os conceitos de "amor" e "ódio" como meras emoções (não como posturas e decisões de vida, como algo que nos serve de *orientação* para a vida); e evidentemente sabemos muito bem que não é possível "dar ordens" às emoções e que nossos sentimentos de termos sofrido uma injustiça são teimosos e persistem, a despeito da nossa boa vontade de cumprir o mandamento escandaloso de Jesus.

Aqui o monge da Igreja Oriental nos oferece um novo impulso teológico e espiritual para aceitarmos também aquelas pessoas que, normalmente, não queremos aceitar, "os maus e criminosos". Ele não diz que devemos amar e aceitar a maldade, que devemos ignorar, minimizar e desculpar seus atos e suas características ruins, tampouco exige que desenvolvamos qualquer tipo de afeto em relação a eles. Ele nos diz apenas que Cristo, por meio do mistério da encarnação, está presente na humanidade de *qualquer* pessoa. Nos maus, Ele está "preso", pois eles não lhe ofereceram a liberdade, porque não permitiram que Ele reinasse em seus corações e em sua conduta.

Quando nos conscientizamos de que elas também "pertencem a Cristo" (e, assim, também a nós), nós ainda não libertamos essas pessoas do mal. Por ora, libertamos *nosso relacionamento com elas* – abrindo nossa postura em relação a elas para Cristo como imagem fiel do Pai, que "faz nascer o Sol para bons e maus, e chover sobre justos e injustos"[164]. No entanto, permanece em aberto nesse drama em que medida nossa postura interior em relação a elas conseguirá influenciar nossa conduta e nosso comportamento, e em que medida o nosso comportamento conseguirá influenciar e talvez transformar essas pessoas.

Cristo vem apenas como incentivo, como *oferta*, como convite, que podemos aceitar ou não, como possibilidade – como *the God who may be*. Qualquer pressão, com a qual pudesse nos manipular e desrespeitar nossa liberdade, lhe é totalmente estranha. O Deus que Cristo nos apresenta (com suas palavras e sua pessoa) se dirige a nós e nos incentiva, mas jamais nos obriga. E é assim que deve ser o *nosso testemunho cristão*: Estamos aqui para ampliar o horizonte do "possível" (i. e., da conduta esperada, normal, "*logia*" e "natural" – como *se* age, como funciona o mundo) por aquilo que parece impossível às pessoas que não conhecem Deus ou não levam Cristo a sério. O fato de estarmos aqui como "oferta alternativa" já faz parte do ministério da cura, da libertação e da "expulsão do mal", que muitos imaginam de forma excessivamente romântica.

Aquele elemento "sobrenatural" nesse "exorcismo" diário (na expulsão do mal) não consiste naquilo que os filmes narram com tantos efeitos impressionantes sobre os exorcistas, mas em algo completamente diferente: no fato de que, por meio de nossa conduta "impossível", os limites do "possível", ou melhor, daquilo que o mundo ao nosso redor considera possível, "normal" e *natural*, são rompidos. Sim, somos encorajados a *fazer milagres*, se compreendermos os milagres não no sentido romântico ou esclarecido como "violações das leis naturais", mas como aquilo que realmente são, ou seja, como *um evento que, sob as circunstâncias dadas, não podemos esperar*.

Possível (alegava o filósofo Jacques Derrida e os muitos teólogos pós-modernos, que vieram depois dele e para os quais Derrida se tornou algo como um novo "Padre da Igreja" do cristianismo

164. Cf. Mt 5,45.

pós-moderno) é aquilo que se encontra dentro das nossas possibilidades ou, pelo menos, dentro do horizonte dos nossos planos, desejos, expectativas e da nossa imaginação. *O impossível* (*l'impossible*) é aquilo que rompe esse horizonte completamente e introduz algo radical e divinamente novo – como o fazem a arte ou a religião. Foi por isso que, em um dos meus livros anteriores, chamei o Reino de Deus de "reino do impossível", que é alcançado apenas por uma "fé pequena", capaz de fazer "coisas impossíveis" – perdoar onde eu poderia me vingar, dar onde eu poderia receber, empenhar e sacrificar-se em vez de descansar[165].

Quantas feridas teriam sido tratadas, quantos ferimentos nem teriam ocorrido, se tivéssemos sido capazes de abandonar a "imagem do inimigo", que (pelo menos em nossa imaginação) temos de tantas pessoas (e que muitas vezes é apenas a nossa imagem que projetamos sobre elas), e se fôssemos capazes de *reconhecer nelas o Cristo*, sem a necessidade de idealizá-las. Aparentemente, conseguimos isso apenas quando somos capazes de reconhecer que *a imagem de Cristo em nós* também não é tão perfeita, também apresenta manchas e ranhuras, de forma que os outros também têm dificuldades de reconhecê-lo em nós!

O primeiro passo para a cura das feridas do mundo é a *nossa conversão*, penitência, humildade – ou em termos mais profanos: a coragem para reconhecer a verdade sobre nós mesmos.

Os confessionários das igrejas não são banheiros – como muitos imaginam e desejam e exigem – onde simplesmente tomo um banho rápido e me livro de toda sujeira que mancha a imagem ideal de mim mesmo e onde me livro de tudo que perturbava minha tranquilidade (falsa), para assim poder voltar para as minhas ilusões agradáveis referentes à minha inocência. Aquele que usa e abusa dessa forma do "Sacramento da Reconciliação" (seja no papel de

---

165. HALÍK, T. *Nachtgedanken eines Beichtvaters* – Glauben in Zeiten der Ungewissheit. Friburgo: Herder 2012 [Orig. tcheco: *Noc zpovědníka* – Paradoxy malé víry v postoptimistické době. Praga: Nakladatelství Lidové noviny, 2005].

confessor ou no papel de confessante) comete outro pecado, dessa vez muito grave. Este dificilmente será capaz de entender as palavras (e a experiência de vida) de Santo Agostinho, segundo as quais também os pecados (*etiam peccata*) podem servir para o bem[166].

Os pecados podem ser uma ajuda no momento da penitência autêntica, quando "as escamas caem dos nossos olhos" e nós reconhecemos o nosso lugar e a nossa posição no mundo. Então compreendemos que, na eterna luta entre o bem e o mal, que preenche toda a profundeza da nossa história ("história da salvação"), não ocupamos nem podemos ocupar o papel de espectador neutro; e jamais podemos nos acomodar no trono "dos bons e dos justos". A linha de frente dessa luta atravessa também o nosso coração, nossa vida também é um campo de batalha, nós também temos muitas feridas, que precisam primeiramente ser descobertas para que possam ser curadas (e para que possamos ajudar a curar as feridas dos outros). Fazem parte dessas feridas os traumas dolorosos, mas também os traumas esquecidos ou jamais admitidos; fazem parte delas as decepções e os danos causados "pelo destino"; as feridas causadas por outros – mas também as feridas que *nós* (talvez até *bona fide*) causamos *em outros* e que (mesmo não tendo consciência disso) podem nos prejudicar mais do que aquelas que sofremos por meio de outros.

Quando, no início da missa, eu declaro *mea culpa – por minha culpa*, eu não o faço para me curvar e me jogar na poeira da autoacusação e da autocomiseração, mas para descer do falso céu das ilusões para o solo firme da terra – e para poder experimentar

---

166. Foi assim que Agostinho comentou a declaração do Apóstolo Paulo, segundo a qual "todas as coisas concorrem para o bem daqueles que amam a Deus" (Rm 8,28) – *etiam peccata*, também os pecados! Evidentemente, é nesse sentido que devemos interpretar também a declaração provocante (e compreensivelmente entendida por muitos como escandalosa) do ex-monge agostiniano Martinho Lutero: "Peque fortemente!" O conhecimento do pecado pode abrir o ser humano para a dádiva da graça divina por meio do arrependimento, da penitência e da humildade; aqueles, porém, que se consideram justos, jamais se abrirão para essa dádiva em virtude de seu orgulho.

como Deus me faz uma criação nova (a partir da poeira da terra, *ex nihilo* – o material preferido de Deus!) e me dota com o seu espírito.

O homem é feito de poeira e espírito, como diz a imagem sugestiva no início da Bíblia hebraica[167]; e o salmista acrescenta que, por meio do pecado, o homem "retorna para a poeira", mas por meio do perdão Deus lhe envia novamente o seu "espírito", e assim ele é "criado" novamente[168].

Nós já vimos como Cristo, que vem até nós e nos mostra suas feridas, pode ser um encorajamento "para a verdade", como encorajamento para nos livrarmos "da armadura, das máscaras e do talco" que usamos para esconder nossos ferimentos de nós mesmos e dos outros.

Isso diz respeito em primeiro lugar aos traumas que, a despeito de todos os nossos esforços de esquecê-los, continuam tão vivos que não se cansam de exigir a nossa atenção. O que mais cansa o ser humano é o esforço de ocultar, ignorar ou compensá-los. Nem em todos os casos devemos seguir o conselho de Inácio de *agere contra* (de agir contra a própria tendência) – a tentativa, por exemplo, de pessoas depressivas de fazerem piadas o tempo todo, é cansativa. Devemos dar espaço àquilo que se manifesta dessa forma em nós e que tanto se recusa às nossas tentativas de fugir dele, de compensar ou recalcá-lo. Muitas vezes, é menos cansativo, doloroso e perigoso confrontar-nos diretamente com esses problemas em nosso interior do que fugir deles o tempo todo.

Se o ser humano realmente puder confiar na garantia de que Deus nos aceita do jeito que somos, também com os nossos traumas, dores, cicatrizes e problemas, então o mero conhecimento dessa

---

167. Cf. Gn 2,7.

168. Cf. Sl 104,29-30.

aceitação pode, em alguns casos, oferecer um descanso (e uma recuperação do estresse causado pela pessoa e pelos próprios demônios) mais seguro do que uma almofada no divã de um psicanalista. (De forma alguma pretendo minimizar a ajuda de um terapeuta, que, em muitos casos, é necessária, mas que, de forma alguma, precisa ou deve excluir os caminhos espirituais para a reconciliação e cura interior.)

Existem, porém, traumas que recalcamos com muito sucesso ou que jamais conseguiram vir à luz plena da nossa consciência. Quando essas coisas – seja na oração, no divã do psicanalista ou em outros momentos privilegiados da vida – vêm à tona, vale a palavra com a qual Deus, o Senhor, acompanha sua entrada no mundo humano em tantas histórias bíblicas: "Não temas!"

Sim, também aquilo que emerge da noite escura e se comporta como inimigo, com o qual precisamos lutar e o qual também nos fere, podemos aceitar como um mensageiro divino, que, após termos lutado corajosamente, nos traz a bênção com o raiar do Sol – lembremo-nos da importante cena bíblica às margens do Rio Jaboque, da luta de Jacó[169].

A perfeição para a qual nos chamam o Antigo e o Novo Testamento não consiste apenas da ausência de erros e falhas, mas também da unidade, da plenitude. O primeiro passo em direção a essa plenitude é a humildade, que acompanha a conversão: *isso* também sou eu!

Aquilo que não é aceito não pode ser remido, ensinavam os velhos Padres da Igreja quando meditavam sobre o mistério da encarnação. A primeira coisa que Deus exige de nós quando nos concede sua graça (uma graça verdadeiramente desafiadora, não uma graça barata) de vermos suas feridas é que *as aceitemos*: Dizer "sim" aos fatos de sua vida – dizer "sim" mesmo quando esse "sim" não venha acompanhado ainda de um entendimento pleno, mesmo quando

---

169. Cf. Gn 32,23-33.

permanecem ainda algumas perguntas não respondidas: "Por quê? ou "Por que eu?"

Eu posso ter as minhas feridas! Este é um passo grande e libertador em direção à cura. Não preciso ser forte e belo e bem-sucedido como os heróis dos filmes e seriados de TV, não preciso ser sempre feliz, inabalavelmente saudável e eternamente jovem como os galãs nas vitrines da propaganda onipresente para tudo e nada, não preciso ter um olhar ardente e determinado, a mão estendida e o sorriso estéril dos políticos em seus cartazes eleitorais.

"O Senhor zomba deles"[170] – como na época em que Ele desceu do céu para contemplar o monte de tijolos da ruína da Torre de Babel[171] – e nós podemos rir com Ele. É muito libertador poder ser do jeito que realmente sou.

Não é justamente no instante da descoberta humilde (e da aceitação) daquilo que eu realmente sou, *por meio da minha sinceridade*, que eu me transformo novamente em imagem autêntica *daquele que é o que é*? Não é justamente (e paradoxalmente) *por meio da aceitação da minha imperfeição* que eu faço o passo decisivo em direção àquela *plenitude*, que Ele deu ao ser humano como seu selo, sua imagem, mas também como vocação e tarefa?

Eu posso ter as feridas que "o destino" ou "os outros" causaram em mim. Quando eu as aceito e consigo suportar a minha forma verdadeira, elas deixam de ser traumas em medida considerável. Isso me alivia e liberta tanto do fardo do fazer de conta, do ocultar e mascarar quanto do fardo do ditado da propaganda e das exigências externas, que me obrigam ou seduzem a ser aquele que eu não sou e que, na verdade, não devo nem quero ser.

---

170. Sl 2,4.

171. Cf. Gn 11,3-5.

Mas quanto às feridas que eu mesmo causei em outros? E quanto às feridas que não são apenas uma questão pessoal, porque afetam também os meus relacionamentos? Não posso oferecer nenhuma resposta nova a essas perguntas. Apenas isso: nos casos em que puder pedir perdão, devo pedir perdão; nos casos em que puder corrigir meus erros e me reconciliar, é necessário que eu tente fazer pelo menos isso.

Nos casos em que eu realmente não conseguir corrigir aquilo que prejudiquei ou negligenciei, preciso saber *abrir mão*. É importante ter a coragem de entregar essas coisas à chama da misericórdia divina e, *confiando no perdão de Deus, perdoar a si mesmo*. Quando minhas dívidas antigas passaram pelo portão da oração (ou do sacramento) para Deus, quando eu as apresentei à sua misericórdia e elas se transformaram para mim em *experiência* (que me ajuda a não repeti-las levianamente) por meio do diálogo com Ele, então, *libertá-las para sempre representa um ato da fé*. Agora, elas podem e devem se transformar em passado definitivo, em passado remido entregue a Deus, pelo qual não preciso nem devo mais me preocupar. E, se desse passado, dessas cinzas ainda quentes da memória, continuarem a surgir sentimentos de culpa, que não me levam a uma humildade curadora, mas paralisam minha alegria, minha liberdade e meus bons atos, devo lidar com eles como com qualquer outra *tentação*: afugentá-los como uma mosca ou ignorá-los como o latido do cachorro por trás da cerca de um jardim.

Existem pessoas que não são capazes de acreditar na misericórdia divina, que não são capazes de perdoar a si mesmas, que não são capazes de livrar-se de seus sentimentos de culpa, que se castigam repetidamente com novos atos de penitência, que reconhecem o pecado por toda parte, principalmente nos lugares onde ele não está – as pessoas escrupulosas, excessivamente cuidadosas e medrosas. Amadeo Cencini, autor de análises impressionantes de problemas frequentes da vida espiritual, reconhece nesses escrúpulos uma expressão do narcisismo: "Quando a pessoa escrupulosa acusa a si mesma, ela não o faz em virtude da delicadeza de sua consciência, mas obedecendo a uma ordem de seu ego (ou superego), que – magoado em seu narcisismo – agora se vinga e tenta recuperar a estabilidade, condenando-se e castigando-se de todas as formas possíveis [...]. Nisso tudo está contido um exibicionismo e um desejo de perfeição absoluta que jamais serão alcançados. [...] A pessoa escrupulosa *jamais experimenta o perdão simplesmente porque jamais tomou conhecimento do caráter verdadeiro de seu pecado*. Ela vive no medo de descobrir seu próprio pecado e não reconhece que ela é, realmente, uma pecadora; justamente por isso, enxerga o pecado em coisas insignificantes, para proteger-se do pensamento de que ela pecou em coisas grandes"[172]. Suas dúvidas constantes e sua autoflagelação provêm do fato de que seu narcisismo a faz girar em torno de si mesma, e este é seu pecado *verdadeiro*, pois ignora o amor de Deus e assim nunca vivencia a verdade libertadora e curadora que diz que este amor *é maior do que o seu pecado*[173].

Fomos chamados para a vida na verdade – o pecado do qual realmente precisamos nos proteger é mentir para nós mesmos.

Mas essa classificação da culpa em pecados "contra si mesmo", "contra os outros" e "contra Deus", como nos ensinam os clássicos "livrinhos de confissão", e a divisão igualmente estrita em ferimentos cometidos e sofridos não seriam distinções artificiais?

O ser humano é ser humano, contanto que seja ser humano com os outros e para os outros. Não existem pecados "particulares", que diriam respeito apenas a mim mesmo, mas de forma alguma a outros, e todos os meus atos contra os outros prejudicam também profundamente a mim mesmo. A deformação de mim mesmo na

---

172. CENCINI, A. *Život v usmíření*. Praga: Paulinky, 2008, p. 14-15.
173. Cf. 1Jo 3,19-20.

escuridão do quarto da minha vida privada acaba sugando a força e a autenticidade daquilo que devo ao outro, daquilo que devo ser para os outros e para o mundo. Deus – como nos ensina nossa fé – criou cada um de nós como um original insubstituível, não por causa da vaidade de um criador ou colecionador de curiosidades, mas porque – e permitam que eu use aqui a linguagem ingênua do antropomorfismo, diante da qual nem mesmo a Bíblia recua – Ele *precisava* de alguém exatamente assim para seu mundo, principalmente para as outras pessoas. Se, em virtude de nossa culpa, não cuidarmos dessa criação singular de Deus e de seus propósitos, se não os desenvolvermos, se a destruirmos, danificamos assim não só a nós mesmos, mas cometemos uma injustiça também contra o outro e nos tornamos culpados diante do nosso Criador por meio da nossa ingratidão e ignorância.

Quando causamos danos ao outro, qualquer ato desse tipo (e, como ensinou Jesus, também qualquer palavra, nossa postura ou nosso propósito) – mesmo que nos traga alguma vantagem nas lutas de concorrência deste mundo – é inscrito também em nós mesmos. Nós também fazemos parte daquela *creatio continua*, daquele processo eterno da criação – nós também participamos do bem e do mal na criação incompleta do mundo e *de nós mesmos* por meio de Deus, e ou cumprimos criativamente os propósitos do Criador ou tentamos destruí-la tola e insensatamente. Cada um de nossos dias, cada um dos nossos atos, cada palavra e cada pensamento gravam seu rastro naquele jarro que gira no torno do *Oleiro*.

Não é só a comunhão da humanidade, mas também a nossa comunhão e nosso relacionamento com Deus que moldam continuamente a nossa existência humana; nossos relacionamentos conosco mesmos, com os outros e com Deus são entrelaçados de forma múltipla e inextricável. Poderíamos, portanto, dizer que o ser humano é ser humano contanto que seja ser humano com Deus, diante de Deus e para Deus.

Pelo amor de Deus, exclamará alguém: Então o senhor não considera os ateus seres humanos plenos?

Ao responder a essa pergunta, preciso fazer uma distinção cuidadosa. Tenho certeza de que muitos daqueles que se chamam de ateus são "ateus nominais" – eles se chamam de ateus porque não chamam aquele mistério, para o qual a fé cristã se abre, de Deus. No entanto, é evidente (e mesmo nos casos em que não seja evidente, podemos partir do pressuposto) que eles mantêm um relacionamento aberto com esse mistério, muitas vezes mais profundo do que o dos cristãos. Demonstramos nosso relacionamento com Deus, o Pai, não só chamando-o por esse nome, mas também quando tratamos o outro como nosso irmão ou irmã. Demonstramos nosso relacionamento com Deus, o Criador, não só com nossa opinião sobre a criação e o desenvolvimento do mundo, mas de forma mais essencial por meio do nosso relacionamento com a natureza. Demonstramos nosso relacionamento com o mistério da encarnação não com aquele verso do Credo, durante o qual nos curvamos na missa, mas principalmente pelo modo como lidamos com nossa própria humanidade e com a humanidade dos outros.

Ao lado desses "ateus nominais", que, em muitos casos (não só nos casos acima citados), vivem aquele *mistério da fé* na realidade, existem também os *ateus existenciais*, que, por meio de seu desrespeito aos outros, à natureza etc. demonstram que realmente se encontram "do outro lado". E certamente não preciso acrescentar que encontramos esse tipo de *ateísmo* verdadeiramente perigoso (a ausência de Deus) – que realmente representa um defeito em nossa existência humana – não só entre aqueles que se consideram incrédulos, mas também entre aqueles que se consideram pios e crentes.

Nenhum ser humano tem o direito de julgar quem pertence a esta ou àquela categoria, também, porque essa luta dramática da fé com a incredulidade ocorre no coração de cada ser humano, contanto que esteja vivo. Cabe apenas ao Juízo Final de Cristo revelar ao ser humano se a soma de sua vida o colocará "à sua direita ou à sua esquerda" – e essa cena do Evangelho deixa claro que *todos se surpreenderão*[174].

Quando tratamos da penitência, falamos também sobre a necessidade de *abrir mão* de determinados fatos que não podemos mudar, se "*soltá-los*". Algo semelhante se aplica também a outras feridas dolorosas no nosso coração: quando sofremos uma grande perda, principalmente a perda de uma pessoa amada.

Sim, a forma da perda é outra quando a morte nos tira uma pessoa querida ou quando ela nos deixa por vontade própria. No segundo caso, junta-se ao sentimento de perda também a dor da traição e do abandono, e precisamos lutar para que o nosso amor não se transforme em ódio e para que não substituemos o remédio do perdão pela droga venenosa da vingança. Independentemente disso, porém, *cada* perda grave nos obriga a passar por um doloroso e longo processo, em cujo decurso costumamos passar por fases, aptamente descritas pelos psicólogos: o choque e a recusa de aceitar, o esforço de "negociar" e a ansiedade tola de "impedir" ou negar de alguma forma o evento doloroso; depois a luta interna, às vezes acompanhada de sentimentos de ira e resistência, momentos de resignação – finalmente, porém, a paz da reconciliação, a aceitação da realidade. (Alguns autores afirmam que pessoas, ao receberem o diagnóstico de uma doença fatal, que agora se encontram à beira da própria morte, ou que acompanham a morte de uma pessoa próxima, passam por fases semelhantes.)

Nesses tempos de dor e provação – principalmente diante da despedida irrevogável de uma pessoa falecida – os ritos da Igreja podem oferecer uma contribuição importante para a cura das feridas, semelhantes aos rituais guardados nas câmaras de tesouro de

174. Cf. Mt 25,31-46.

todas as grandes religiões (e, às vezes, também nas cerimônias com as quais a sociedade secular procura imitar e substituir o serviço da Igreja). Especialmente quando não tivemos a oportunidade de curar todos os ferimentos com nossos próximos quando ainda estavam vivos (e que relacionamento íntimo não apresenta essas cicatrizes?), é muito importante "enviar-lhes" nosso perdão (ou o pedido de perdão) durante a cerimônia de despedida. Mesmo que todas as nossas concepções sobre uma "vida após a morte" tenham desaparecido quase que completamente na forma de um fraco e confuso ponto de interrogação, deveríamos, mesmo assim, enquanto ainda levarmos Deus a sério pelo menos um pouco, não desistir da esperança de que a porta, pela qual passaram os nossos falecidos, não leve ao "nada". E mesmo que, algum dia, desapareçam da nossa memória, Deus permanecerá eternamente como base da lembrança, onde tudo e todos serão preservados para sempre.

Durante o tempo de "*trabalho de luto*" (se Freud nos permitir usar seu conceito aqui), durante aquele período que realmente não vale a pena "pular", circundar, encobrir ou recalcar, vivenciamos às vezes que nossos próximos passam a viver de forma mais real e profunda "em nós" – justamente no momento em que sua biografia se encerra e eles deixam de conviver conosco. E em nós continua a viver aquilo que eles representaram para nós. No entanto, o período de luto deve ser um tempo e um meio de cura, não de reabrir feridas antigas. Virá a hora em que realmente precisamos "soltar" os nossos falecidos.

Aqui, a fé também exerce um papel insubstituível. Ela nos dá a coragem e a confiança de tomar esse passo sem a necessidade de temer que assim estivéssemos traindo os nossos mortos. A porta pela qual os deixamos passar não está trancada de alguma forma misteriosa, e o muro que nos separa deles não é impermeável. Eles são inalcançáveis apenas para os nossos sentidos e para aquelas pessoas cujo mundo termina no limite do conhecimento sensual. A nós, porém, foram confiados três caminhos, nos quais nós (como já o Jesus Ressurreto) podemos passar pela porta trancada da morte para a comunhão indissolúvel. São estes a fé, a esperança e o amor, estes três; e aquilo que permite aos mortos a vida mais plena é o amor.

Quando realmente conseguimos aceitar nossas feridas – no poder da fé, na confiança de que Deus nos aceita completamente também com elas – elas já se transformam. Isso não significa necessariamente que elas deixem de doer para sempre – antigas cicatrizes e feridas do corpo costumam se manifestar com determinadas mudanças do clima –, mas agora elas ocupam o lugar totalmente diferente na nossa vida, e a nossa própria vida se torna mais plena, holística e rica.

Um antigo hino pascal tcheco diz sobre as feridas do Cristo Ressurreto: suas feridas estão curadas, elas brilham como pedras preciosas. E a grande mística da Idade Média alemã, a Santa Hildegarda de Bingen, ensinou que também as nossas feridas se transformarão em pérolas.

Anselm Grün comenta: "A transformação das minhas feridas em pérolas significa que eu passo a enxergar minhas feridas como algo precioso. Nas áreas em que eu fui ferido, eu sou mais sensível a outras pessoas. Eu as compreendo melhor. E nos lugares em que eu fui ferido, eu entro em contato com meu próprio coração, com meu próprio ser verdadeiro. Eu desisto da ilusão da minha força, saúde e perfeição. Conscientizo-me da minha fragilidade, e essa consciência me torna mais real, mais humano, mais misericordioso e mais sensível. Meu tesouro se encontra na minha ferida. Aqui, entro em contato comigo mesmo e com minha vocação. Aqui, descubro minhas qualidades. Apenas um médico ferido é capaz de curar"[175].

175. GRÜN, A. *Máš před sebou všechny mé cesty* – Sborník k 60. narozeninám Tomáše Halíka [Offen liegen meine Wege vor dir. Festschrift zum 60 – Geburtstag von Tomáš Halík]. Praga: Nakladatelství Lidové noviny, 2008, p. 107-108.

Na época em que servia como conselheiro teológico no Concílio Vaticano II, Karl Rahner, um dos maiores teólogos católicos da Modernidade, foi abordado por um padre espanhol, que lhe pediu que ele se empenhasse para que o Concílio apoiasse de forma decisiva a adoração do Coração de Jesus. Ao longo de vários séculos da Modernidade, essa veneração – gerada pela inspiração de algumas místicas – passou a ocupar um lugar cada vez mais importante na piedade popular, na liturgia do calendário eclesiástico e nos documentos oficiais dos papas; mas os documentos do Concílio Vaticano II não a mencionam com uma única palavra. Talvez esse tipo de piedade se transformará em resquício do passado, como a imagem do Menino Jesus de Praga na cômoda empoeirada da bisavó, escreve Rahner em um ensaio motivado por esse padre. Trata-se de um dos ensaios mais belos de toda a obra de Rahner. Seu título é: O homem com o coração traspassado[176].

Mesmo que essa forma de veneração desapareça da piedade popular, continua Rahner, ela talvez se torne o mistério da espiritualidade do sacerdote da era vindoura. Como será o padre de amanhã? Será um ser humano que sofre e compartilha verdadeiramente da profunda escuridão da existência com todos os seus irmãos e irmãs? Será um ser humano no qual podemos confiar? O padre de amanhã não será aquele que possui poder baseado no poder social da Igreja, mas aquele que tem a coragem de ser o impotente. "O padre de amanhã será o ser humano cuja profissão, em termos profanos, não pode ser justificada, porque seu êxito e sucesso sempre desaparecerão no mistério de Deus e porque ele não será o psicoterapeuta nos trajes antiquados do mago. [...] Com serenidade, ele permitirá que Deus seja vitorioso onde ele mesmo for derrotado; ele reconhecerá a obra da graça de Deus onde ele mesmo não será capaz de transmiti-la por meio de sua palavra e do sacramento [...]; ele não computa-

---

176. RAHNER, K. "Der Mann mit dem durchbohrten Herzen. Herz-Jesu-Verehrung und künftiges priesterliches Dasein". *Knechte Christi*. Friburgo: Herder, 1967, p. 117-133, aqui p. 124-126.

rá o poder da graça com as estatísticas da confissão, mesmo assim saberá que Deus o chamou para o serviço e para a missão, mesmo sabendo que a misericórdia de Deus pode realizar a sua obra sem ele." O padre de amanhã, conclui Rahner, será o ser humano com o coração traspassado: "traspassado pela incredulidade da existência, traspassado pela tolice do amor, traspassado pela falta de sucesso, traspassado pela experiência da própria miséria e profunda dúvida, crendo que, por meio desse coração, se transmite o poder da vocação, toda a autoridade do ofício, toda validade objetiva da palavra, toda eficácia [...] dos sacramentos e que todos estes se transformarão em evento da salvação apenas por meio da graça de Deus, transmitida à humanidade através do centro indizível de um coração traspassado".

14
A última bem-aventurança

Tomé acreditou porque viu. Ele viu feridas transformadas em pedras preciosas, viu a dor superada, viu que o sofrimento e a morte não têm a última palavra. Por isso, pôde acreditar naquilo que é a essência da fé cristã: em Deus, que se manifesta em Cristo; na ressurreição; no amor, que é mais forte do que a morte. Mas quanto àqueles que não viram nada comparável a isso?

Depois de Tomé vieram inúmeras pessoas que não tiveram essa experiência terapêutica, que, depois da noite da dor, não viram o sol nascer, cujas feridas continuam infeccionadas e cheias de pus. O que podemos oferecer *àqueles* que *não viram*? A última bem-aventurança de Jesus se dirige a eles.

Felizes os que têm espírito de pobre, porque deles é o Reino dos Céus.
Felizes os que choram, porque serão consolados.
Felizes os mansos, porque possuirão a terra.
Felizes os que têm fome e sede de justiça, porque serão saciados.
Felizes os misericordiosos, porque alcançarão misericórdia.
Felizes os puros de coração, porque verão a Deus.
Felizes os que promovem a paz, porque serão chamados filhos de Deus.

Felizes os perseguidos por causa da justiça, porque deles é o Reino dos Céus[177].

Quem não conhece as oito bem-aventuranças, essa abertura festiva do Sermão da Montanha de Jesus! No fim do Evangelho de São João, justamente na cena do encontro com o "Tomé incrédulo", Jesus acrescenta mais uma, uma *última bem-aventurança*, quando diz ao apóstolo: "Porque me viste, acreditaste. *Felizes os que não viram e creram*".

Uma série de comentaristas dos evangelhos alega que as bem-aventuranças no início do Sermão da Montanha representariam não "oito tipos de pessoas", mas oito aspectos da mesma postura de vida de um discípulo de Jesus. Junta-se a estes então um nono aspecto.

Não seria também essa última bem-aventurança a chave para as anteriores – pelo menos para algumas delas? Não somos pobres, tristes e sedentos de justiça *porque* – ou também porque – nós *não vimos* e continuamos sem ver até hoje? E também aos puros de coração aquela visão beata (*visio beatifica*) só foi *prometida*, eles também não "viram" ainda. Jesus veio para este mundo para que "os cegos vejam, e os que veem se tornem cegos"[178]. E quando os fariseus, esses "donos da verdade" tão autoconfiantes, perguntam: "Por acaso também nós somos cegos?" Jesus responde: "Se fôsseis cegos não teríeis pecado; mas como dizeis: 'vemos', o vosso pecado permanece"[179].

Em oito bem-aventuranças, Jesus volta nossa visão profeticamente do passado, no qual não víamos, e do presente, no qual ainda não vemos, para o futuro escatológico do Reino de Deus, onde veremos Deus, onde seremos saciados e alegrados, onde alcançaremos a misericórdia etc. A essa última bem-aventurança, porém, Ele não acrescenta nenhuma promessa. É possível que isso signifique que aqueles que suportam na fé o estado do "não ver" já recebem sua

---

177. Mt 5,3-10.

178. Jo 9,39.

179. Jo 9,40-41.

recompensa na própria fé? Significa que a própria fé já preenche esse estado com sentido, que ela o transforma, dando lhe um valor e uma profundeza, mesmo ainda não retirando dos olhos o véu do mistério? "A fé é: perseverar naquilo que se espera, ter convicção das coisas que não se veem"[180].

Em sua encíclica *Spe salvi*, o Papa Bento XVI diz explicitamente que o termo *elenchos* (convicção) significa nesta oração não só uma opinião subjetiva do fiel, mas uma "prova" (*argumentum*): "A fé não é só uma inclinação da pessoa para realidades que hão de vir, mas estão ainda totalmente ausentes; ela dá-nos algo. Dá-nos já agora algo da realidade esperada, e esta realidade presente constitui para nós uma 'prova' das coisas que ainda não se veem. Ela atrai o futuro para dentro do presente, de modo que aquele já não é o puro 'ainda-não'. O fato de este futuro existir, muda o presente; o presente é tocado pela realidade futura, e assim as coisas futuras derramam-se naquelas presentes e as presentes nas futuras". A fé é: Perseverar (*hypostasis*/substância) naquilo que se espera. Isso significa, escreve o papa: "Deste modo, o conceito de 'substância' é modificado para significar que pela fé, de forma incoativa – poderíamos dizer 'em gérmen' e, portanto, segundo a 'substância' – já estão presentes em nós as coisas que se esperam: a totalidade, a vida verdadeira. E precisamente porque a coisa em si já está presente, esta presença daquilo que há de vir cria também certeza: esta 'coisa' que deve vir ainda não é visível no mundo externo (não 'aparece'), mas pelo fato de a trazermos, como realidade incoativa e dinâmica dentro de nós, surge já agora uma certa percepção dela"[181].

É importante que o papa, nesse comentário significativo, coloca a palavra "prova" entre aspas. A prova não é de natureza matemática, científica nem filosófica ou lógica, que não permitiria qualquer dúvida e refutaria qualquer objeção; a prova que podemos dar ao

180. Hb 11,1.

181. BENTO XVI. Encíclica *Spe Salvi*, 7.

"mundo incrédulo" é um "testemunho", o testemunho da vida. Pois a "realidade" à qual a fé remete ainda não se tornou "ato" em nosso mundo, que seria um fato evidente e visível para todos – podemos permitir um vislumbre dela apenas por meio da nossa vida como testemunhas. Devemos estar "sempre prontos para responder àqueles que perguntarem pelo motivo de nossa esperança"[182].

Mas como podemos fazer isso se nós mesmos fazemos parte daqueles que "não viram" e que até foram advertidos de não se colocarem no papel daqueles que "veem" e "sabem"? A resposta é: devemos prestar contas não daquilo que "vemos", não das nossas "opiniões" e convicções, mas da nossa esperança, da nossa fé e do nosso amor. São estes que devemos *provar* e demonstrar, para que mais luz possa penetrar nos cantos escuros do mundo.

"Felizes os que não viram – *e* creram." A fé verdadeira, a fé bem-aventurada, sempre possui o caráter de uma fé "a despeito de", de uma fé "mesmo assim" – do passo corajoso da esperança para além dos limites do demonstrável e compreensível.

Já na cena em que Jesus convoca seus primeiros apóstolos e os instrui a lançar suas redes mais uma vez no mar, após uma noite de trabalho perdido, a primeira confissão de fé do futuro "príncipe dos apóstolos" – Pedro – diz: "Estivemos trabalhando a noite toda e nada pescamos, mas sob tua palavra lançarei as redes!"[183]

A confiança em sua palavra sustenta a esperança. Essa palavra é, para nós hoje, a palavra das testemunhas, *por meio dessa palavra os próprios apóstolos devem se tornar testemunhas*, como Tomé, mas também como aqueles que vieram depois dele, aqueles que não viram – *e* creram. Se a nossa fé for capaz de fazer esse salto da

182. Cf. 1Pd 3,15.
183. Cf. Lc 5,5.

confiança e da coragem do "mundo visível", que pode nos seduzir de tantas formas para a incredulidade e a desconfiança, para o "mundo invisível", para o ventre do mistério do sentido oculto da "realidade" incompreensível e invisível, nós também nos tornaremos "testemunhas". Nossas feridas, causadas pelos confrontos dolorosos com as absurdidades do mundo, as feridas da descrença e da desconfiança, que – se não forem tratadas e curadas – podem levar ao envenenamento do nosso coração por meio do desespero, do cinismo e da resignação, também serão transformadas.

E agora *a ferida transformada da descrença* deve ser o lugar em que as pessoas que não viram o Ressurreto e que não vivenciaram o poder que triunfa sobre a dor podem tocar para experimentar o que Tomé experimentou.

É, porém, importante acrescentar mais uma coisa. Aquele *salto da fé*, a conversão (e não importa se essa conversão ocorre a partir de um estado da "descrença" ou de um estado de uma fé formal, apenas "herdada"), não costuma ser uma peça dramática em um ato. A fé, na qual existe sempre apenas "o início" e "o gérmen" daquilo a que ela se refere, jamais pode ser protegida sempre contra as tempestades da descrença e da dúvida. No mundo, encontramos tantas feridas, que sempre nos confrontam com as perguntas dolorosas se a nossa fé em um sentido não seria apenas uma projeção ilusória dos nossos desejos. Às vezes, encontramos em nosso ambiente o olho do mal fascinante, que pretende sugar de nós a coragem e a esperança; outras vezes, deparamo-nos com o olhar complacente e irônico daqueles que nada mais esperam, porque "já encontraram sua recompensa" naquilo que o mundo oferece em termos de riqueza, entretenimento e diversão, e lá onde está o seu tesouro está também o seu coração. O mundo e a vida sempre serão ambivalentes, cheios de paradoxos, oferecendo sempre muitas razões tanto para a fé quanto para a descrença – dependendo da nossa "postura". *Neles* não existe nada em que pudéssemos apoiar definitivamente a nossa fé (que não é apenas "a convicção da existência de Deus").

Contanto que a fé seja viva, ela sempre voltará a ser ferida, será exposta a crises e, sim, às vezes, será "morta". Existem momentos em que a nossa fé (ou sua forma atual) morre para então ser vivificada.

Sim, apenas a *fé ferida*, que apresenta as "cicatrizes visíveis dos pregos", é crível, apenas ela pode curar. Temo que uma fé que não tenha atravessado a noite da cruz, e que não tenha sido atingida no coração, não possua esse poder.

Uma fé que nunca *se cegou*, que não experimentou a escuridão, dificilmente pode ajudar àqueles que não viram e não veem. A religião dos que veem, a religião dos fariseus, pecaminosamente autoconfiante, *ilesa* oferece pedra em vez de pão, ideologia em vez de fé, teoria em vez de testemunho, instrução em vez de ajuda, ordens e proibições em vez da misericórdia do amor.

É apenas "o não ver", o não ver sincero e humilde, que abre espaço para a fé. Cabe à fé *perseverar nesse estado de não ver*. Ela precisa cuidar para que o espaço do "não visível" permaneça *vazio, mas sempre aberto* – como o tabernáculo do Sábado de Aleluia na hora da veneração das feridas do corpo e do coração de Jesus. Para cumprir essa tarefa verdadeiramente difícil, a fé precisa também da esperança e do amor.

O ciúme do amor não permite preencher *esse vazio e essa pureza* desse espaço com quaisquer "aparições", ilusões ou ídolos substitutos. A paciência da esperança preserva *a abertura* desse espaço – de forma que aquele que nele entrou não se afogue na desesperança, mas é fortalecido pelo raio provindo daquele lugar da luz pelo qual a fé sempre se orienta, mas cuja luz plena ela ainda não pode alcançar.

"Se você comer sozinha esse prato, você entenderá a língua dos pássaros", digo eu com uma expressão séria à minha pequena afilhada Niké, que olha surpresa para o prato enorme que acabaram de lhe servir no restaurante. "Mas eu já entendo os pássaros um pouco", ela ri. "E o que é que eles dizem?", pergunto. "Mas você não sabe que é impossível traduzir isso para a linguagem humana?" ela responde e balança a cabeça sobre minha ignorância tipicamente adulta.

Sim, a língua dos anjos e dos pássaros, mesmo que a compreendêssemos cem vezes, não pode ser traduzida para a nossa língua, tampouco quanto à linguagem dos nossos corpos. Toques e contatos têm sua própria língua, eles não precisam de palavras; todos os amantes sabem disso, e certamente o sabem também os soldados e as pessoas na hora da morte. A maioria dos sacramentos é administrada por meio de um toque.

"Quem foi que me tocou?", pergunta Jesus, cercado por uma multidão curiosa. E os discípulos, ignorantes, balançam a cabeça: "Mestre, a multidão te cerca e te aperta". Mas para Jesus nenhum toque é anônimo; Ele reconhece muito bem o toque do anseio e da confiança da mulher que sofre de hemorragia[184]. A nossa teologia também só consegue tocar no máximo "a borda do seu manto"; e ela só conseguirá se livrar de seus sofrimentos se esse toque ocorrer com respeito e, ao mesmo tempo, com anseio e coragem. Tocar Deus – mas isso é uma contradição! Mas aquele que, por meio do mistério da encarnação, é o paradoxo dos paradoxos, o permite, Ele viabiliza esse toque – sobretudo, como já dissemos, "nos Primeiros Socorros do mundo", não só nos Primeiros Socorros dos ferimentos *físicos*. Lá, podemos tocá-lo; lá podemos segurá-lo em nossas mãos como o pão na Eucaristia.

Nosso contato com Cristo oscila entre o "Não me toca! Não me segura!" (palavra dita a Maria Madalena) e o "Põe aqui o dedo!"

184. Cf. Lc 8,43-48. Mais sobre essa passagem bíblica em HALÍK, T. *Vzdáleným nablízku*. Op. cit., p. 203-206.

(palavra dita a Tomé). Não podemos tocá-lo se o quisermos impedir de voltar ao Pai, se quisermos *tomar posse* dele. Podemos e devemos tocá-lo em sua volta, em seu “segundo retorno”, que já começa aqui e agora nos “menores” e alcança seu auge naquele momento em que sua presença até então anônima nos menores se evidenciar: “O que fizestes a um desses meus irmãos menores, a mim o fizestes”.

Sou velho demais para entender a língua dos pássaros. Não possuo a ingenuidade e a pureza para entender a língua dos anjos. Mas ouço a língua de Cristo nas feridas do mundo, ouço ali o seu chamado e a batida do seu coração: não posso não entender, não posso fazer de conta que sou surdo. E sempre de novo aprendo a linguagem dos toques, que responderiam ao seu chamado, a arte dos toques carinhosos, que trazem alívio para essas feridas sensíveis.

Conecte-se conosco:

@editoravozes

@editora_vozes

youtube.com/editoravozes

+55 24 2233-9033

www.vozes.com.br

Conheça nossas lojas:

www.livrariavozes.com.br

Belo Horizonte – Brasília – Campinas – Cuiabá – Curitiba
Fortaleza – Juiz de Fora – Petrópolis – Recife – São Paulo

Vozes de Bolso

EDITORA VOZES LTDA.
Rua Frei Luís, 100 – Centro – Cep 25689-900 – Petrópolis, RJ
Tel.: (24) 2233-9000 – E-mail: vendas@vozes.com.br